KB076059

메타버스 콘텐츠 디자인

메타버스의 미래를 여는 문

배예나

메타버스 콘텐츠 디자인 : 메타버스의 미래를 여는 문

발행 | 2024년 3월 30일
저자 | 배예나
디자인 | 어비, 미드저니
편집 | 어비
펴낸이 | 송태민
펴낸곳 | 열린 인공지능
등록 | 2023.03.09(제2023-16호)
주소 | 서울특별시 영등포구 영등포로 112
전화 | (0505)044-0088
이메일 | book@uhbee.net

ISBN | 979-11-93116-53-1
www.OpenAIBooks.shop

메타버스 콘텐츠 디자인

메타버스의 미래를 여는 문

배예나

목차

서문

메타버스(Metaverse)는 가상, 초월을 의미하는 '메타(Meta)'와 세계, 우주를 의미하는 '유니버스(Universe)'를 합성한 신조어로, 현실과 가상의 경계를 허물고 사용자들이 자유롭게 상호작용할 수 있는 가상 세계를 말합니다. 메타버스는 1992년 닐 스티븐슨의 장편소설 '스노 크래시(Snow Crash)'에서 처음 등장한 개념으로 메타버스와 아바타를 서사 전개를 위한 핵심 개념으로 등장시키는데, 당시에는 SF 소설에서만 등장하는 가상의 세계로 여겨졌습니다. 하지만 최근에 '메타버스'라는 개념이 주목받으면서 가상현실(VR), 증강현실(AR), 혼합현실(MR) 등 다양한 기술의 발전으로 메타버스에 대한 관심이 점차 높아지고 있습니다.

메타버스는 현실과 가상의 경계를 허물고, 사용자들이 현실과 가상을 넘나들며 상호작용할 수 있는 공간입니다. 공간과 시간을 초월하는 신속한 기술의 발전 시대에서 메타버스와 확장현실(XR)은 디지털 세계를 재구성하려는 강력한 힘으로 부상하고 있습니다. 이 책은 메타버스, XR 및 사용자 경험(UX) 디자인의 세계를 보여주며, 이를 통해 상호 연결된 영역들과 그들이 디지털 경험의 미래에 미치는 영향을 포괄적으로 이해할 수 있도록 이끌어줄 것입니다.

저자 소개

배예나 박사는 교육/디자인/공학 전문가로서 다양한 역량과 성과물을 창조해내는 폴리매스이다. 낮에는 대학 교수로서, 밤에는 새로운 도전과 덕업일치 실현을 위해 프로샐러던트의 삶을 살고 있다. 한양대학교에서 교육공학을 전공하고 ICT 전문기관인 한국지능정보사회진흥원에 약 12년간 책임연구원으로 근무하였으며, 현재 인제대학교 컴퓨터디자인과 교수로 학과장을 맡고 있다. 베스트셀러 저서로 "메타버스에서 디자이너로 성공하기"와 "게임 디자인 마스터하기"가 있다.

01
메타버스와 XR의 구성요소

이 장에서는 메타버스와 확장 현실(XR)을 구성하는 필수 구성 요소에 대해 다루고자 합니다. 이러한 구성 요소를 이해하는 것은 메타버스 디자인과 XR 콘텐츠 생성의 복잡성을 이해하는 데 중추적 역할을 하며, 메타버스 환경을 분석하고 XR 콘텐츠 디자인의 원리를 탐구하여 앞으로 소개되는 장에 견고한 기반을 마련할 수 있습니다.

▪ 메타버스 환경과 디자인

메타버스 환경

우리가 상상하는 메타버스는 개인이 다양한 디지털 영역에서 상호 작용하고, 창조하고, 몰입할 수 있는 집단 공간인 광대한 디지털 공간입니다. 메타버스 환경은 아래의 몇 가지 주요 요소로 나눌 수 있습니다.

1. 가상 세계(Virtual Worlds)

이는 상호 연결된 디지털 풍경으로 구성된 메타버스의 심장이자 영혼이라고 할 수 있습니다. 가상 세계는 도시와 자연 환경을 현실적으로 표현하는 것부터 상상력에 의해서만 제한되는 환상적인 영역까지 매우 다양할 수 있으며, 사회적 상호작용을 위한 가상 도시와 몰입형 게임 세계를 예로 들 수 있습니다.

2. 아바타 및 아이덴티티(Avatars and Identities)

아바타는 메타버스 내에서 사용자의 디지털 표현 역할을 합니다. 사용자는 자신의 아바타를 맞춤 설정하여 자신의 신원과 개성을 표현할 수 있습니다. 신원 관리 및 보안은 아바타 디자인의 중요한 측면으로, 사용자가 안전하고 진정성 있게 상호작용할 수 있도록 보장하는 역할을 합니다.

3. 공간 컴퓨팅(Spatial Computing)

AR, VR 등의 공간 컴퓨팅 기술을 통해 사용자는 디지털 환경을 3차원으로 인식하고 상호 작용할 수 있습니다. 이러한 기술을 통해 사용자는 마치 실제 세계의 일부인 것처럼 메타버스 요소에 참여할 수 있습니다.

4. 상호 연결성(Interconnectivity)

메타버스는 상호 연결성을 바탕으로 성장합니다. 사용자는 서로 다른 가상 세계 사이를 원활하게 이동하여 응집력 있는 디지털 경험을 만들 수 있습니다. 상호운용성 표준은 원활한 전환을 가능하게 하는 데 중요한 역할을 합니다.

5. 경제 및 상업(Economy and Commerce)

실제 세계와 마찬가지로 메타버스에도 경제가 있습니다. 가상 통화, 디지털 자산 및 마켓플레이스를 통해 사용자는 디지털 영역 내에서 구매, 판매 및 거래를 할 수 있습니다. 메타버스의 경제 생태계를 이해하는 것은 기업과 콘텐츠 제작자에게 매우 중요합니다.

6. 사회적 상호 작용(Social Interaction)

사회적 상호 작용은 메타버스의 초석입니다. 사용자는 텍스트, 음성은 물론 실제와 같은 몸짓과 표현을 통해 다른 사람과 소통하고, 협업하고, 연결할 수 있습니다. 디지털 공간 내에서 공동체 의식을 키우려면 사회적 요소가 필수적입니다.

XR 콘텐츠 디자인 원칙

XR 콘텐츠는 가상현실(VR), 증강현실(AR), 혼합현실(MR) 환경을 위해 제작된 디지털 경험을 의미하는데, 매력적인 XR 콘텐츠를 디자인하려면 다음과 같은 몇 가지 주요 원칙이 적용됩니다.

1. 몰입형 스토리텔링

XR 콘텐츠는 사용자의 참여를 유도하기 위해 내러티브에 의존하는 경우가 많습니다. 분기형 내러티브, 인터랙티브 스토리텔링 등 몰입형 스토리텔링 기법을 통해 사용자는 내러티브에 적극적으로 참여하고 마치 스토리의 일부인 듯한 느낌을 받을 수 있습니다. 몰입적 스토리텔링은 XR 콘텐츠의 핵심 원칙 중 하나로, 사용자가 가상 현실 또는 확장현실 환경 속에서 이야기에 빠져들 수 있도록 하는 것입니다. 이를 위해 다음과 같은 디자인 원칙을 고려해야 합니다.

- 강렬한 스토리 : XR 콘텐츠는 중요하고 강렬한 스토리텔링을 가져야 합니다. 사용자들은 콘텐츠의 이야기에 공감하고 몰입하도록 유도되어야 합니다.

- 공간적인 경험 : XR은 사용자에게 현실과 가상의 경계를 허물어주므로, 이를 활용하여 스토리텔링을 공간적으로 풍부하게 디자인할 수 있습니다. 사용자들이 스토리의 일부가 되는 느낌을 제공합니다.

- 상호작용 : 사용자들이 스토리에 직접 참여하고 영향을 미칠 수 있는 상호작용 요소를 포함시킵니다. 이는 사용자의 참여를 증가시키고 스토리의 흐름을 조절하는 데 도움이 됩니다.

2. 사용자 중심 디자인

XR에서는 사용자 경험이 중심이 됩니다. 디자이너는 사용자 편의성, 접근성, 참여도를 고려해야 합니다. 사용자 인터페이스, 탐색, 상호 작용 모델과 같은 요소는 직관적이고 사용자 친화적이어야 합니다. 사용자 중심 디자인은 XR 콘텐츠를 개발하는 데 있어 핵심 원칙 중 하나로, 사용자들의 요구와 경험을 중심으로 콘텐츠를 디자인하는 접근 방식입니다. 이를 위해 다음과 같은 원칙을 고려해야 합니다.

- 사용자 연구 : 사용자 인터뷰, 관찰, 설문 조사 등을 통해 사용자들의 욕구와 요구사항을 파악하고 이를 바탕으로 디자인 결정을 내립니다.

- 프로토타이핑 및 테스트 : 초기 프로토타입을 제작하고. 사용자들에게 테스트해보는 것은 중요합니다. 사용자 피드백을 수렴하여 디자인을 개선하고 콘텐츠를 최적화 합니다.

- 접근성 고려 : 모든 사용자를 고려하여 접근성을 고려해야 합니다. 장애인과 비장애인 모두가 XR 콘텐츠를 원활하게 이용할 수 있도록 디자인합니다.

3. 공간 디자인

공간 디자인은 XR 환경에서 사용자들이 상호작용하고 탐험할 공간을 디자인하는 과정을 의미합니다. XR 콘텐츠는 공간적 맥락 내에 존재하기 때문에, 디자이너는 사용자가 콘텐츠와 상호작용할 물리적 공간을 고려해야 합니다. 공간 디자인에는 AR에서 사용자의 물리적 환경 내에 디지털 객체를 배치하거나 VR에서 몰입형 가상 환경을 제작하는 작업이 포함됩니다. 이는 가상 현실 및 확장현실 경험의 핵심 부분이며 다음과 같은 요

소를 고려해야 합니다

- 환경 설계 : XR 공간은 실제 공간과 다르게 무한한 가능성을 제공합니다. 따라서 환경을 어떻게 설계하느냐가 사용자 경험에 큰 영향을 미칩니다. 사용자의 목적과 스토리텔링에 맞게 환경을 디자인해야 합니다.

- 사용자 위치 및 움직임 고려 : 사용자의 위치와 움직임을 고려하여 공간을 디자인합니다. 사용자의 안전과 편의성을 고려하여 가상 환경 내에서의 이동을 촉진합니다.

- 인터랙션 포인트: 사용자와의 상호작용을 위한 인터랙션 포인트를 정의합니다. 이는 사용자가 물체를 직접 만지거나 조작할 수 있는 위치를 나타냅니다.

4. 햅틱 피드백

햅틱 피드백은 사용자에게 촉각 감각을 제공하여 XR 경험을 향상시킵니다. 진동, 저항 및 힘 피드백은 가상 환경 내 상호작용에 깊이와 현실감을 더할 수 있습니다. 햅틱 피드백은 XR 환경에서 사용자에게 실제적인 감각을 전달하는 데 중요한 역할을 합니다. 이를 위해 다음과 같은 디자인 원칙을 고려해야 합니다.

- 촉각 전달 : 햅틱 디바이스를 활용하여 사용자가 환경에서 물체를 만지고 상호작용하는 느낌을 제공합니다.

이는 XR 경험의 현실성을 향상시키고 사용자의 참여를 높입니다.

- 사운드와 연동 : 햅틱 피드백은 시각적 요소와 함께 오디오 요소와 연동하여 사용자에게 다차원적인 경험을 제공합니다. 이는 콘텐츠의 몰입성을 강화합니다.
- 사용자 정의 가능성 : 사용자가 햅틱 피드백의 강도나 성격을 조절할 수 있도록 하는 옵션을 제공합니다. 다양한 사용자의 취향과 필요에 맞게 설정할 수 있어야 합니다.

5. 실시간 상호작용

XR 콘텐츠는 종종 사용자와 디지털 요소 간의 실시간 상호 작용을 허용합니다. 이러한 실시간 특성을 위해서는 원활한 상호 작용을 보장하기 위해 효율적인 네트워크 통신과 응답성이 뛰어난 사용자 인터페이스가 필요합니다.

6. 접근성 및 포괄성

XR 콘텐츠는 다양한 능력을 가진 사용자를 수용할 수 있도록 설계되어야 합니다. 접근성과 포괄성을 보장한다는 것은 음성 명령, 동작 제어, 텍스트 음성 변환 기능과 같은 기능을 고려하는 것을 의미합니다.

7. 데이터 개인정보 보호 및 보안

XR 콘텐츠는 사용자 데이터를 수집하고 처리할 수 있습니다. 설계자는 사용자의 개인정보와 보안을 보호하기 위해 강력한 데이터 개인정보 보호 조치, 보안 통신 프로토콜 및 사용자 동의 메커니즘을 구현해야 합니다.

8. 교차 플랫폼 호환성

XR 콘텐츠는 다양한 하드웨어 플랫폼 및 운영 체제에서 실행되어야 할 수 있습니다. 플랫폼 간 호환성을 고려하여 설계하면 사용자가 장치나 플랫폼에 관계없이 콘텐츠에 액세스할 수 있습니다.

XR 콘텐츠 디자인 원칙

메타버스 내에서 몰입형 XR 경험을 만들려면 콘텐츠 제작자는 기술과 창의성을 혼합하는 전체적인 접근 방식을 수용해야 합니다. 디자이너, 개발자, 아티스트 간의 협업이 핵심입니다. 프로세스의 몇 가지 필수 단계는 다음과 같습니다.

1. 개념화

XR 경험에 대한 명확한 개념으로 시작하세요. 어떤 이야기나 경험을 전하고 싶나요? 사용자는 어떻게 상호 작용하나요? 기본적인 아이디어와 목표를 스케치합니다. 개념화는 XR 콘텐츠 디자인 원칙 중 하나로, 콘텐츠 개발 초기 단계에서 중요한 역할을 합니다. 이를 좀 더 구체적으로 다루겠습니다.

개념화의 중요성

미리 구상 : 개념화는 XR 콘텐츠의 핵심 아이디어와 컨셉을 미리 구상하고 정의하는 단계입니다. 이는 콘텐츠의 방향성을 설정하고 개발 과정을 안정화하는 데 도움을 줍니다.

개념화 단계의 주요 요소

이야기 및 스토리보드 작성: 콘텐츠의 주요 이야기와 스토리보드를 작성하여 어떤 경험이 제공될 것인지 미리 시각화합니다.

- 디자인 컨셉 개발 : 사용자 경험을 개선하고 목표를 달성하기 위한 디자인 컨셉을 개발합니다. 이는 콘텐츠의 시각적 스타일, 사용자 인터페이스, 색상 팔레트 등을 다룹니다.
- 기술적 구상 : 개발에 필요한 기술적인 부분을 고려합니다. XR 콘텐츠의 플랫폼, 하드웨어, 소프트웨어 요구사항을 결정하고 기술적 구현 방안을 개념화합니다.
- 사용자 연구와 피드백 수렴 : 사용자들의 요구와 피드백을 반영하여 개념화를 조정합니다. 사용자 중심의

접근을 통해 콘텐츠가 사용자들에게 어떻게 의미 있는지 고려합니다.

성공적인 개념화의 효과

- 목표 달성 : 개념화를 통해 콘텐츠의 목표와 목적이 명확하게 설정됩니다. 이는 효과적인 콘텐츠 개발을 위한 지침을 제공합니다.
- 시간과 비용 절감 : 초기에 개념화를 제대로 수행하면 나중에 발생할 수 있는 문제를 예방하고 개발 비용을 줄일 수 있습니다.
- 사용자 만족도 향상 : 사용자 중심으로 개념화를 수행하면 최종 콘텐츠가 사용자들에게 더 만족스러운 경험을 제공할 가능성이 높아집니다.

2. 디자인 및 개발

디자인과 개발은 밀접하게 연결되어야 합니다. 디자이너와 개발자 간의 원활한 협업은 XR 콘텐츠의 품질과 성능을 향상시키는 데 중요합니다. 이는 3D 자산, 사용자 인터페이스 및 사용자 상호 작용을 디자인합니다. 적절한 도구와 플랫폼을 사용하여 XR 콘텐츠를 개발하고 개념적 비전과 일치하는지 확인하세요.

디자인 및 개발 단계의 주요 요소

- 디자인 시스템 : 일관된 디자인 원칙과 컴포넌트를 정의하는 디자인 시스템을 구축합니다. 이는 사용자 인터페이스, 색상 팔레트, 아이콘, 버튼 등을 일관되게 유지하는 데 도움이 됩니다.
- 프로토타이핑 : 디자인 프로토타입을 개발하고 사용자 피드백을 수렴하여 디자인을 개선합니다. 프로토타입을 통해 사용자 경험을 시뮬레이션하고 문제점을 식별합니다.
- 기술적 구현 : 디자인을 개발에 맞게 구현합니다. XR 플랫폼과 하드웨어에 맞는 기술적인 요소를 고려하며, 최적의 성능과 안정성을 확보합니다.
- 테스트와 디버깅 : 디자인과 개발 단계에서는 테스트와 디버깅을 꾸준히 수행하여 문제를 식별하고 수정합니다. 사용자 테스트도 이 단계에서 중요한 역할을 합니다.

성공적인 디자인 및 개발의 효과

- 품질 향상 : 디자인 및 개발 과정을 통해 콘텐츠의 품질이 향상되며, 사용자들에게 더 나은 경험을 제공할 수 있습니다.

- 시의적절한 출시: 원활한 협업과 과정 관리를 통해 콘텐츠를 예정된 시간에 출시할 수 있습니다.
- 비용 절감 : 초기에 디자인과 개발을 통합된 접근으로 진행하면 나중에 발생할 수 있는 문제를 예방하고 개발 비용을 줄일 수 있습니다.

3. 테스트 및 반복

XR 콘텐츠를 엄격하게 테스트하여 사용자 피드백을 구하고 필요한 조정을 수행합니다. 유용성, 성능, 사용자 만족도에 주의를 기울이세요.

테스트 및 반복의 중요성

- 사용자 경험 개선 : 테스팅과 반복은 사용자들의 피드백을 수용하고 디자인을 지속적으로 개선하는 과정입니다. 이를 통해 사용자 경험을 향상시키고 문제점을 해결할 수 있습니다.
- 품질 보증 : 테스팅은 콘텐츠의 품질을 확인하고 안정성을 보장하는 데 중요한 역할을 합니다. 버그와 문제를 식별하고 해결하여 품질을 향상시킵니다.
- 적응력 : XR 환경은 다양한 하드웨어와 플랫폼에서 작동해야 합니다. 테스팅을 통해 다양한 환경에서 콘텐

츠가 제대로 작동하는지 확인합니다.

테스트 및 반복 단계의 주요 요소

- 사용자 테스트 : 실제 사용자들을 대상으로 테스트를 진행합니다. 사용자 피드백을 수집하고 이를 바탕으로 디자인을 개선합니다.
- 알파 및 베타 테스트 : 콘텐츠의 초기 버전을 알파 및 베타 테스트를 통해 외부 사용자에게 공개합니다. 이를 통해 다양한 피드백을 수용하고 버그를 식별하여 수정합니다.
- 성능 테스트 : XR 콘텐츠의 성능을 확인하고 최적화합니다. 프레임률, 그래픽 품질, 응답 시간 등을 평가합니다.

성공적인 테스팅 및 반복의 효과

- 사용자 만족도 향상 : 사용자 테스트와 피드백을 통해 콘텐츠가 사용자들에게 더 만족스러운 경험을 제공할 수 있습니다.
- 버그 및 문제 해결 : 테스팅은 버그와 문제를 식별하고 해결하는 데 도움을 줍니다. 이로써 콘텐츠의 안정성이 향상됩니다.
- 품질 향상 : 지속적인 반복을 통해 콘텐츠의 품질이

향상되며, 최종 제품이 훌륭한 사용자 경험을 제공할 수 있습니다.

4. 최적화

최적화는 XR 콘텐츠의 성능과 사용자 경험을 향상시키는 중요한 단계입니다. 사용자들이 원활하게 콘텐츠를 이용하고 더 나은 시각적 품질을 누릴 수 있도록 최적화를 신중히 수행해야 합니다. 다양한 하드웨어 및 플랫폼에 맞게 XR 경험을 최적화하고, 다양한 장치에서 원활하고 효율적으로 실행되는지 확인하세요.

최적화의 중요성

- 성능 향상 : 최적화는 XR 콘텐츠의 성능을 향상시키는데 중요한 역할을 합니다. 높은 프레임률과 부드러운 이동은 사용자 경험을 향상시킵니다.
- 하드웨어 호환성 : 다양한 XR 플랫폼과 하드웨어에서 콘텐츠가 원활하게 작동하도록 보장합니다.
- 저전력 모드 : 모바일 기기와 같은 배터리 구동 장치에서도 콘텐츠가 사용 가능한 최대 시간을 제공하도록 최적화됩니다.

최적화 단계의 주요 요소

- 성능 테스트 : 콘텐츠의 성능을 정량화하고 병목 현상

을 찾아내기 위해 성능 테스트를 진행합니다. 프레임률, 랙, 메모리 사용량 등을 평가합니다.

- 그래픽 최적화 : 고품질 그래픽을 유지하면서도 최적화된 렌더링 기술을 도입합니다. 그래픽 설정을 조정하여 최상의 시각적 품질을 유지합니다.
- 알고리즘 개선 : 사용되는 알고리즘을 최적화하여 계산 및 처리 시간을 단축합니다. 효율적인 알고리즘은 콘텐츠 성능을 향상시킵니다.
- 하드웨어 고려 : 다양한 XR 하드웨어와 플랫폼에 대한 최적화를 수행합니다. 각 하드웨어의 특성을 고려하여 콘텐츠를 최적화합니다.

<u>성공적인 최적화의 효과</u>

- 뛰어난 성능 : 최적화를 통해 XR 콘텐츠의 성능이 향상되며, 사용자들에게 부드러운 경험을 제공합니다.
- 다양한 플랫폼 호환성 : 최적화된 콘텐츠는 다양한 XR 플랫폼에서 호환성을 보장합니다.
- 저전력 모드 : 모바일 장치에서도 최적화된 콘텐츠가 사용 가능하면 배터리 소모를 최소화할 수 있습니다.

5. 배포

앱 스토어, 웹 플랫폼, 특정 메타버스 환경 등 선택한 배포 플랫폼에 XR 콘텐츠를 배포합니다

배포의 중요성

- 사용자 접근성 : 콘텐츠가 사용자에게 어떻게 제공되고 접근 가능한지가 중요합니다. 효과적인 배포 전략은 더 많은 사용자에게 도달할 수 있도록 합니다.
- 수익 창출 : 콘텐츠의 성공은 수익을 창출하는 데 연결됩니다. 올바른 배포 전략을 통해 수익 모델을 지원합니다.

배포단계의 주요 요소

- 플랫폼 선택 : XR 콘텐츠를 어떤 플랫폼에 배포할 것인지를 결정합니다. VR 헤드셋, AR 앱, 웹 기반 XR 등 다양한 플랫폼을 고려해야 합니다.
- 앱 스토어 및 플랫폼 준수 : 앱 스토어 및 플랫폼의 정책과 요구 사항을 준수해야 합니다. 이는 콘텐츠의 승인과 사용자의 신뢰를 구축하는 데 도움이 됩니다.
- 마케팅 및 홍보 : 콘텐츠를 어떻게 마케팅하고 홍보할 것인지를 고려합니다. 사용자들에게 콘텐츠의 가치를 알리는 데 중요한 역할을 합니다.

성공적인 배포의 효과

- 사용자 확보 : 올바른 배포 전략을 통해 더 많은 사용자를 유치하고 사용자 기반을 확대할 수 있습니다.
- 수익 모델 지원 : 적절한 수익 모델을 구현하고, 결제 및 구독을 통해 수익을 창출할 수 있습니다.
- 브랜딩과 신뢰 구축 : 정평을 쌓고 사용자들에게 브랜드를 신뢰받게 할 수 있습니다.

6. 커뮤니티 참여

커뮤니티 참여는 XR 콘텐츠 디자인과 개발 과정에서 지속적인 성공을 위한 핵심입니다. 사용자와의 상호 작용을 통해 콘텐츠의 질을 향상시키고 커뮤니티를 구축하여 브랜드와 콘텐츠의 성장을 지원합니다. XR 콘텐츠를 중심으로 커뮤니티를 조성하세요. 메타버스 내에서 사용자 생성 콘텐츠, 피드백 및 협업을 장려합니다.

커뮤니티 참여의 중요성

- 사용자 의견 수렴 : 사용자들의 의견과 피드백을 수렴하고 콘텐츠 개선에 반영하는 것은 사용자 만족도를 향상시키는 데 도움이 됩니다.
- 커뮤니티 빌딩 : 콘텐츠를 좋아하고 지지하는 커뮤니티를 구축하면 브랜드와 콘텐츠의 가치를 높일 수 있습니다.
- 협력 기회 : 커뮤니티 참여를 통해 다른 디자이너, 개발자, 아티스트와 협력할 수 있는 기회를 얻을 수 있습니다.

커뮤니티 참여 단계의 주요 요소

- 피드백 수집 : 사용자 피드백을 수집하고 분석합니다. 이를 통해 콘텐츠의 문제점과 개선점을 파악합니다.
- 플랫폼 구축 : 소셜 미디어, 포럼, 웹사이트 또는 앱을 통해 사용자들과 소통할 수 있는 플랫폼을 구축하거나 활용합니다.
- 이벤트 및 활동 개최 : 커뮤니티를 유지하기 위해 주기적으로 이벤트, 대회, 워크샵 등을 개최합니다.

성공적인 커뮤니티 참여 효과

- 사용자 로열티 : 콘텐츠 커뮤니티에 참여하는 사용자들은 콘텐츠에 대한 로열티가 높아지며, 장기적인 지지를 받을 수 있습니다.
- 피드백 활용 : 사용자 피드백을 통해 콘텐츠 개선 및 새로운 아이디어 도출에 활용합니다.
- 협력 기회 : 커뮤니티 멤버들과 협력하여 새로운 프로젝트를 시작하거나 콘텐츠 확장 기회를 얻을 수 있습니다.

7. 분석 및 개선

분석과 개선은 XR 콘텐츠의 지속적인 향상을 위한 필수 단계입니다. 데이터를 활용하여 사용자 경험을 개선하고 성과를 높이는 데 도움이 되며, XR 경험 내에서 사용자 상호 작용 및 참여에 대한 데이터를 수집합니다. 이 데이터를 사용하여 콘텐츠를 지속적으로 개선하고 보완하는 것이 중요합니다.

분석과 개선의 중요성

- 사용자 피드백 수집 : 사용자들의 피드백과 데이터를

수집하여 콘텐츠의 강점과 약점을 식별합니다.

- 성능 최적화 : 데이터 분석을 통해 콘텐츠의 성능을 평가하고 최적화할 수 있습니다.
- 목표 달성 : 콘텐츠의 목표와 KPI를 분석하여 더 나은 결과를 얻을 수 있는 방법을 탐구합니다.

분석과 개선 단계의 주요 요소

- 데이터 수집 : 사용자 활동과 성능 데이터를 수집합니다. 사용자 행동, 클릭률, 잔존률 등을 포함합니다.
- 데이터 분석 : 수집한 데이터를 분석하여 패턴, 동향, 문제점을 파악합니다.
- 개선 전략 수립 : 분석 결과를 바탕으로 개선 전략을 수립합니다. 문제점을 해결하고 기능을 개선합니다.
- 테스트 및 검증 : 개선된 콘텐츠를 테스트하고 사용자 피드백을 수집하여 변화의 효과를 확인합니다.

성공적인 분석과 개선의 효과

- 사용자 만족도 향상 : 사용자 피드백을 반영한 개선은 사용자 경험을 향상시킵니다.
- 성능 향상 : 데이터 분석과 최적화를 통해 콘텐츠의

성능이 향상됩니다.

- 목표 달성 : 데이터를 기반으로 목표를 달성하고 콘텐츠의 효과를 측정할 수 있습니다.

■ 메타버스 아바타와 XR

메타버스의 핵심 요소 중 하나는 아바타입니다. 아바타는 사용자가 디지털 세계에서 나타나는 디지털 표현체이며 사용자를 대표합니다. 아바타는 메타버스 내에서 사용자 간의 상호작용, 소통 및 협업을 위한 주요 요소 중 하나입니다. 이를 위해 XR 기술은 아바타의 표현과 제어를 혁신적으로 개선하고 있습니다.

아바타 표현을 위한 XR 기술

1. 몰입형 아바타 표현

VR 기술은 사용자가 몰입형 가상 세계에 진입하고 완벽한 3D 아바타를 조작하는 데 사용됩니다. VR 헤드셋은 사용자의 머리 움직임과 표정을 실시간으로 감지하여 아바타에 반영하므로 현실적인 상호작용을 가능하게 합니다

2. 증강현실 아바타

AR 기술은 현실 세계와 결합하여 디지털 아바타를 확장합니다. AR 안경을 통해 사용자는 물리적 공간에서 디지털 정보를 볼 수 있으며, 이 정보는 다른 사용자 또는 메타버스 내의 아바타

와 상호작용할 수 있습니다.

3. 혼합현실 아바타

MR 기술은 현실과 가상을 결합합니다. 사용자는 현실 아바타와 가상 아바타 간의 상호작용을 경험할 수 있으며, 이로써 다양한 현실과 메타버스 세계 간의 융합이 가능합니다.

메타버스 아바타와 XR아바타 간의 상호작용

1. 가상 환경 내에서 XR아바타와의 상호작용

메타버스 아바타와 XR 아바타는 가상 환경에서 서로 상호작용할 수 있습니다. 사용자들은 XR 기술을 사용하여 메타버스 내에서 이러한 상호작용을 경험할 수 있으며, 이로써 가상 공간에서 현실감 있는 대화와 협업이 가능해집니다.

2. 프레젠테이션 및 형상

XR 아바타는 메타버스 내에서 사용자를 대신하여 현실 세계와 가상 세계를 이동하고 상호작용할 수 있습니다. 이러한 아바타는 사용자의 표현을 보다 풍부하게 전달하고 메타버스 경험을 더욱 개인화합니다.

3. 사용자 경험 향상

XR 아바타는 메타버스 사용자의 경험을 향상시킵니다. 현실적인 동작, 표정 및 제스처를 통해 사용자 간의 상호작용은 더욱 풍부하고 자연스러워집니다. 이는 메타버스 내에서 의미 있는 커뮤니케이션과 협업을 더욱 촉진합니다.

4. 개인정보 보호와 보안

XR 아바타의 상호작용은 개인 정보 보호와 보안 문제를 제기합니다. 사용자 데이터의 안전한 관리 및 전송이 필수적이며, 사용자에게 개인 정보 공개에 대한 통제 권한을 부여해야 합니다.

5. 사용자 정의와 창의성

XR 아바타를 개인화하고 다양한 형태와 스타일로 나타낼 수 있는 기능은 창의성을 끌어올리며 사용자들에게 자신을 표현할 수 있는 공간을 제공합니다.

메타버스의 미래와 XR아바타

메타버스와 XR 아바타의 상호작용은 디지털 세계의 형태와 인간과 컴퓨터 간의 관계를 혁신하고 있습니다. 이러한 상호작용은 메타버스 경험을 보다 풍부하고 현실적으로 만들어주며, 다양한 분야에서 혁신을 이끌고 있습니다. 앞으로의 메타버스 발전과 XR 기술의 진화를 통해 사용자들은 더욱 현실과 가상의 경계를 허물며 더욱 풍요로운 디지털 세계를 탐험할 것입니다.

▪ 메타버스 경제와 XR

메타버스와 XR의 접목은 디지털 경제의 혁신적인 잠재력을 끌어올리고 있습니다. 이 장에서는 메타버스 경제의 핵심 요소와 XR 기술의 경제적 파급효과에 대해 자세히 살펴보겠습니다. 또한 가상 경제 내에서 XR 응용 프로그램의 실제 사례 및 NFT와 XR 경험의 통합에 대해 알아보겠습니다.

메타버스 경제 : 디지털 경제의 미래

메타버스는 현실과 가상이 결합된 새로운 디지털 경제의 중심으로 떠오르고 있습니다. 이 경제는 다양한 요소로 구성되어 있으며 사용자, 기업, 창작자에게 혁신적인 기회를 제공합니다.

1. 가상 자산 및 화폐

메타버스 내에서는 가상 자산과 가상 화폐가 흔히 사용됩니다. 가상 토지, 부동산, 디지털 아이템 등 다양한 자산을 구매하고 판매할 수 있으며, 이를 통해 실제 수익을 창출합니다.

2. 가상 경제의 성장

메타버스 경제는 빠른 속도로 성장하고 있으며, 가상 경제 활동은 전 세계적으로 확장되고 있습니다. 사용자들은 디지털 환경에서 비즈니스를 운영하고 가상 경제 생태계를 형성하고 있습니다.

3. 디지털 광고와 마케팅

기업들은 메타버스 내에서 제품과 브랜드를 홍보하고 시장을 공략하는 데 XR을 활용하고 있습니다. 가상 현실에서의 광고와 마케팅은 사용자에게 현실적인 체험을 제공하며 더 높은 참여율을 유도합니다.

메타버스 경제와 XR 응용 프로그램

메타버스 경제 내에서 XR 기술은 다양한 응용 프로그램을 통해 활용되고 있으며 이는 새로운 수익 기회를 창출하고 경제적 파급효과를 일으킵니다.

XR 응용 프로그램 메타버스 내에서의 사례

- 가상 쇼룸 : XR을 사용한 가상 쇼룸은 제품을 현실감 있게 소개하고 구매 경험을 개선합니다. 가상 시창자는 제품을 직접 시도하고 커스터마이징할 수 있으며, 이를 통해 고객과의 상호작용을 증대시킵니다.

- 가상 협업 공간 : XR을 활용한 가상 협업 플랫폼은 사용자가 공동 작업하고 회의를 개최하는 데 도움을 줍니다. 회사들은 지리적으로 떨어진 팀과 협력하고 화상 회의에서는 불가능한 현실적인 상호작용을 가능하게 합니다.

- 가상 무역 박람회 : 전시회와 박람회는 XR을 통해 가상으

로 재현됩니다. 이를 통해 기업들은 제품을 소개하고 고객들과 직접 상호작용하며 비즈니스 기회를 확장합니다.

NFT와 XR 경험의 통합

- 가상 아트 갤러리 : NFT를 사용하여 디지털 아트 작품의 소유권을 인증하고 거래할 수 있습니다. XR 기술을 활용한 가상 아트 갤러리는 아티스트와 아트 컬렉터에게 혁신적인 플랫폼을 제공합니다.

- 가상 랜드 및 부동산 : NFT를 통해 가상 랜드와 부동산의 소유권을 기록하고 거래합니다. XR을 활용한 가상 부동산 시장은 현실과 유사한 부동산 투자와 체험을 가능하게 합니다.

- 디지털 콘텐츠 소유권 : NFT는 디지털 미디어 및 컨텐츠의 소유권을 확립하고 크리에이터에게 콘텐츠 관리와 수익 창출의 새로운 방식을 제공합니다.

02
메타버스에서의 UX 디자인

이 장에서는 메타버스와 XR에서 사용자 경험(UX) 디자인의 중요성과 원리에 대해 다룹니다. 사용자 경험은 메타버스와 XR 환경에서 사용자의 만족도와 참여도를 결정하는 핵심 요소 중 하나로, 디지털 세계에서의 사용자 상호작용을 개선하고 현실적인 경험을 제공하는 역할을 합니다.

■ XR을 고려한 메타버스 UX디자인 원칙

메타버스와 XR은 디지털 세계의 경계를 확장하며 현실과 가상의 융합을 실현하는 혁신적인 기술입니다. 여기서는 XR 기술을 활용한 메타버스에서의 사용자 경험(UX) 디자인 원칙에 대해 다루겠습니다. 사용자 중심의 디자인 접근과 함께 XR이 가진 특별한 고려 사항에 대해 논의하며, 메타버스 내에서 현실감 있는, 접근 가능한, 사용자 친화적인 경험을 제공하는 방법을 살펴보겠습니다.

사용자 중심의 디자인 접근

1. 사용자 이해

메타버스와 XR 환경에서의 UX 디자인은 사용자를 깊이 이해하는 것으로 시작합니다. 다양한 사용자 프로파일을 고려하여 사용자의 요구, 선호도, 행동 패턴을 분석합니다. 이를 통해 개인화된 경험을 제공합니다.

2. 프로토타이핑과 테스트

디자인 프로세스 초기에 프로토타입을 제작하고 사용자 피드백을 수집합니다. 프로토타입을 사용하여 사용자가 경험하며 디자인의 초기 단계에서 개선점을 식별하고 수정합니다.

3. 반복적 개선

사용자 피드백을 반영하여 디자인을 개선하고, 사용자가 요구하는 기능과 편의성을 높입니다. 반복적인 디자인 프로세스를 통해 최적의 UX를 달성합니다.

XR 환경에서의 접근성 강화

1. 다양한 능력 고려

XR 환경은 다양한 능력을 가진 사용자를 위한 경험을 고려해야 합니다. 시각, 청각, 운동 능력 등 다양한 사용자 프로파일을 고려하여 접근 가능한 경험을 제공합니다.

2. 보조 기술 고려

보조 기술을 활용하는 사용자를 위한 디자인을 최적화합니다. 스크린 리더, 음성 명령, 진동 피드백 등을 통해 모든 사용자에게 접근 가능한 기능을 제공합니다.

3. 유연한 커스터마이징

사용자들에게 경험을 커스터마이징 할 수 있는 기능을 제공합니다. 화면 크기, 글꼴 크기, 색상 스키마 등을 조절할 수 있는 옵션을 제공하여 모든 사용자에게 맞춤형 경험을 제공합니다.

사용자 친화적인 UI/UX 디자인

1. 직관적 UI/UX

XR 환경에서의 사용자 인터페이스와 경험은 직관적이어야 합니다. 사용자가 쉽게 내비게이션하고 인터랙션할 수 있도록 디자인합니다.

2. 인터랙티브 요소

XR은 상호작용을 강조하는 환경입니다. 사용자가 제스처, 음성 명령, 컨트롤러 등을 사용하여 활발하게 상호작용할 수 있는 요소를 추가합니다.

3. 사용자 교육과 안내

XR환경은 처음 접하는 사용자에게는 다소 생소할 수 있습니다. 사용자 교육과 안내 기능을 통해 새로운 사용자들이 쉽게 적응하고 사용법을 익힐 수 있도록 돕도록 합니다.

성능 최적화와 기술 혁신

1. 원활한 성능

XR 환경에서의 성능은 핵심적입니다. 지연 시간을 최소화하고 끊김 없는 경험을 제공하기 위해 기술적인 성능 최적화를 수행합니다.

2. 혁신적 기술 활용: XR을 더욱 현실적으로 만들기 위해 혁신적인 기술을 활용합니다. 홀로그래피, 공간 음향, 고화질 그래픽 등을 통해 현실감 있는 경험을 제공합니다

메타버스와 XR은 사용자와 디지털 세계 간의 상호작용을 새로운 차원으로 끌어올립니다. 이를 위해 사용자 중심의 디자인, 접근성, 사용자 친화성을 고려하여 메타버스 내에서 현실감 있는, 접근 가능한, 사용자 친화적인 경험을 제공하는 것이 중요합니다.

▪ 메타버스와 XR에서의 네비게이션과 상호작용

메타버스와 XR 기술은 가상 공간을 탐색하고 상호작용하는 새로운 방식을 제공합니다. 여기서는 이러한 환경에서의 내비게이션과 상호작용의 중요성과 원칙, 그리고 실제 응용 사례에 대해 살펴보겠습니다.

네비게이션 원칙

1. 직관성과 편의성

메타버스와 XR 환경에서의 내비게이션은 직관적이고 사용자 친화적이어야 합니다. 사용자가 쉽게 움직이고 원하는 위치로 이동할 수 있어야 합니다.

2. 실감 나는 경험

내비게이션은 현실과 유사한 경험을 제공해야 합니다. 가상 공간에서도 실제로 움직이는 듯한 느낌을 주는 것이 중요합니다.

3. 다양한 입력 방식 지원

XR 환경에서는 다양한 입력 방식을 지원해야 합니다. 제스처, 음성 명령, 컨트롤러를 활용한 다양한 방법으로 내비게이션을 수행할 수 있어야 합니다.

상호작용의 중요성

1. 사용자 간 상호작용

메타버스와 XR은 사용자 간의 상호작용을 강조합니다. 가상 현실에서의 다른 사용자와의 소통과 협업은 중요한 요소입니다. 환경 내에서 다른 사용자와 상호작용하는 방법을 제공하는 것이 중요합니다.

2. 환경과 객체와의 상호작용

사용자는 가상 환경 내의 객체와 상호작용할 수 있어야 합니다. 물체를 직접 조작하거나 상호작용하여 실제같은 경험을 느낄 수 있어야 합니다.

네비게이션과 상호작용의 응용 사례

- 가상 여행 및 관광 : 메타버스와 XR을 활용한 가상 여행 플랫폼은 사용자에게 세계 각지의 명소를 체험할 수 있는 기회를 제공합니다. 사용자는 가상으로 여행하며 명소를 탐험하고 다른 여행객들과 소통할 수 있습니다.

- 가상 교육 및 교육 : 가상 교육 플랫폼은 학생들에게 현실에서는 불가능한 경험을 제공합니다. 역사 시간여행, 과학 실험 시뮬레이션 등을 통해 학습자들은 더욱 현실적인 학습 경험을 얻을 수 있습니다.

- 가상 협업 : 비지니스와 협업 분야에서 XR 기술은 현실과 가상을 넘나드는 협업을 가능하게 합니다. 원격 팀원들과 협업하고 공동 작업을 진행할 수 있으며, 현실과 유사한 환경에서 협업할 수 있습니다.

- 가상 무역 박람회와 이벤트 : 가상 박람회와 이벤트는 실제로 참석하지 않아도 전시 부스를 방문하고 제품을 확인하며 다른 참가자들과 소통할 수 있는 기회를 제공합니다.

■ 개인화된 경험과 XR 콘텐츠 전략

개인화된 경험이란?

개인화된 경험은 사용자의 개별적인 요구와 선호도에 맞게 디지털 콘텐츠를 제공하는 것을 의미합니다. 이것은 사용자에게 최적화된, 유용한, 그리고 맞춤형 경험을 제공하는 것을 의미합니다.

개인화된 경험의 중요성

메타버스와 XR은 사용자에게 현실과 가상의 경계를 허물어주는 혁신적인 기술로, 다양한 분야에서 활용되고 있습니다. 그 중에서도 사용자 개인화 경험이 강조되며, XR 콘텐츠 전략을 개발하는 것은 매우 중요합니다.

XR기술과의 조화

1. 홀로 포커스

XR은 사용자의 시야를 확보하고 주목을 끌 수 있는 기술입니다. 이를 활용하여 사용자에게 필요한 정보와 경험을 제공할 수 있습니다.

2. 공간 음향

공간 음향 기술을 통해 개인화된 음향 경험을 제공할 수 있습니다. 사용자의 위치와 방향에 따라 음향을 조절하여 현실적인 오디오 환경을 조성합니다.

3. Haptic Feedback

Haptic 피드백을 통해 사용자에게 촉각적인 경험을 제공할 수 있습니다. 터치와 진동을 통해 다양한 감각을 전달하며 콘텐츠에 대한 더욱 몰입적인 경험을 제공합니다.

개인화된 경험의 장점

개인화된 경험은 사용자가 콘텐츠와 상호작용할 때 더욱 만족스럽게 느끼도록 돕습니다. 사용자가 관심 있는 내용에 집중하고 불필요한 정보를 걸러내도록 도와줍니다. 또한 사용자와의 강한 연결을 형성합니다. 사용자는 자신을 이해하고 맞춤형 콘텐츠를 제공하는 브랜드나 플랫폼에 충성을 보이는 경향이 있습니다. 개인화된 컨텐츠는 사용자에게 필요한 정보를 제공하므로, 마케팅 및 커뮤니케이션 전략의 효과성을 향상시킵니다. 따라서 사용자에게 정확한 메시지를 전달할 수 있습니다.

개인화된 경험을 위한 전략

1. 데이터 수집과 분석

사용자 데이터를 수집하고 분석하여 사용자의 관심사와 행동 패턴을 이해합니다. 이를 통해 개인화된 추천 및 콘텐츠 제공을 위한 기반을 마련합니다.

2. AI와 머신 러닝 활용

인공 지능과 머신 러닝 기술을 활용하여 개인화된 콘텐츠를 제공합니다. 이러한 기술은 사용자의 행동에 반응하고 콘텐츠를 동적으로 조절할 수 있습니다.

3. 다중 센서 통합

다양한 센서를 활용하여 사용자의 환경과 상호작용을 모니터링합니다. 이를 통해 사용자의 위치, 동작, 감정 등을 파악하여 경험을 조절합니다.

4. 사용자 참여

사용자를 콘텐츠 개발 과정에 참여시킵니다. 사용자의 의견과 피드백을 수용하여 콘텐츠를 개선하고 개인화된 경험을 형성합니다.

03
메타버스와 XR의 활용 사례

메타버스와 XR 기술은 다양한 산업과 분야에서 혁신적으로 활용되고 있으며, 새로운 가능성을 제시하고 있습니다. 이 장에서는 메타버스와 XR의 다양한 활용 사례를 살펴보고, 이 기술들이 어떻게 현실 세계와 융합되어 다양한 분야에서 혁신을 이끌고 있는지에 대해 알아보겠습니다.

▪ 메타버스에서의 교육과 학습

가상 현실(VR)과 확장현실(AR) 기술은 교육 분야에서 혁신적인 변화를 가져오고 있습니다. 이러한 XR 기술은 가상 교실과 교육 플랫폼을 개선하고 학생들에게 현실에서는 불가능한 학습 경험을 제공합니다. 이 장에서는 XR 기술이 교육 분야에 어떻게 통합되고 있으며, 학습자와 교사에게 어떤 혜택을 제공하는지 살펴보겠습니다.

XR 기술의 교육 분야 적용

1. 가상 교실 환경

VR 기술을 활용한 가상 교실은 학생들에게 현실적인 학습 경험을 제공합니다. 학생들은 가상 공간에서 수업을 듣고 교사와 다른 학생들과 상호작용할 수 있습니다. 이러한 가상 교실은 지역 제한 없이 전 세계의 학생들과 교육 환경을 공유할 수 있는 기회를 제공합니다.

2. 실습 및 실험 시뮬레이션

XR 기술을 통해 학생들은 과학 실험, 의료 시뮬레이션, 역사적 재현 등 다양한 학습 경험을 할 수 있습니다. 실제로 위험을 감수하지 않고도 위험한 상황에서 학습을 할 수 있으며, 실험과 시뮬레이션을 통해 실무 능력을 향상시킬 수 있습니다.

3. 개별 맞춤형 학습

XR은 학생의 능력과 학습 스타일에 맞춤형 학습 경험을 제공할 수 있습니다. 학생들은 자신의 속도에 맞게 학습하고 관심 있는 주제를 탐구할 수 있으며, 이는 학습 동기와 이해도를 향상시킵니다.

교사와 학습자에게 제공되는 이점

1. 관여와 몰입도 증가

XR 환경에서 학습은 보다 몰입적이고 흥미로운 경험으로 변화합니다. 학생들은 가상 현실 안에서 학습 내용을 직접 체험하며 더욱 관여하게 됩니다.

2. 실제 경험의 부재 극복

어떤 주제는 현실에서 체험하기 어렵거나 위험할 수 있습니다.

XR 기술을 사용하면 학생들은 이러한 경험을 가상으로 안전하게 체험할 수 있으며, 실제 경험을 직접적으로 체험하기 어려운 교육에서 극복할 수 있습니다.

3. 개별 학습 지원

XR은 학생들의 개별 학습 수준을 고려하여 맞춤형 학습을 제공합니다. 강의 내용, 난이도, 속도 등을 개별화하여 학생들에게 최적의 학습 경험을 제공합니다.

4. 현실 세계와의 연결

XR은 현실 세계와 연결되는 경험을 제공합니다. 학생들은 가상 세계와 현실 세계를 연결하여 실제 문제 해결 및 응용 능력을 향상시킬 수 있습니다.

XR교육의 부가적인 이점

1. 협업과 팀 프로젝트

XR 환경에서 학생들은 지리적으로 떨어진 위치에서도 협업과 팀 프로젝트를 수행할 수 있습니다. 가상 공간에서의 협업은 학생들이 협동심을 키우고 문제 해결 능력을 향상시키는 데 도움이 됩니다.

2. 실제 시나리오 기반 교육

XR을 활용하면 학생들은 실제 시나리오를 기반으로 한 교육을 받을 수 있습니다. 의료 학생들은 환자 진료 시뮬레이션을 통해 실제 상황에서의 경험을 쌓을 수 있으며, 비즈니스 학생들은 상사와의 가상 회의를 통해 실제 업무 상황을 모방할 수 있습니다.

3. 참여형 학습

XR은 학생들이 수업에 참여하고 자신의 학습 경험을 조절할 수 있도록 합니다. 학생들은 콘텐츠를 직접 조작하고 탐구하며 더 깊은 이해를 얻을 수 있습니다.

4. 문제 해결 및 창의성

XR은 문제 해결 능력과 창의성을 촉진합니다. 학생들은 가상 환경에서 다양한 도전 과제를 해결하고 새로운 아이디어를 실험할 수 있습니다.

5. 현실적인 시뮬레이션

XR은 현실적인 시뮬레이션을 제공함으로써 학생들이 실제 상황에서 필요한 기술과 지식을 연습할 수 있게 합니다. 비행 시뮬레이션, 엔지니어링 시뮬레이션, 공간 탐험 시뮬레이션 등이 이에 해당합니다.

XR교육의 도전 과제

XR 교육을 구현하는 것은 몇 가지 도전 과제를 동반합니다. 이러한 도전 과제를 극복하기 위해 노력이 필요합니다.

1. 비용과 접근성

XR 기술은 비용이 높을 수 있으며, 모든 학생들에게 쉽게 접근 가능하지 않을 수 있습니다. 학교 및 교육 기관은 이러한 비용과 접근성 문제를 고려하여 XR 교육을 도입해야 합니다.

2. 콘텐츠 개발

XR 콘텐츠를 개발하고 유지하는 것은 시간과 노력이 많이 들기 때문에 교육자와 개발자 사이의 협력이 필요합니다.

3. 안전 및 개인 정보 보호

학생들이 가상 환경에서 학습할 때 개인 정보 보호와 안전 문제에 대한 고려가 필요합니다.

4. 교육자의 기술 역량

교육자들은 XR 기술을 활용하는 데 필요한 기술 역량을 습득해야 합니다.

XR교육의 미래 전망

XR 기술은 계속해서 발전하고 교육 분야에서 더 많은 혁신을 가져올 것으로 예상됩니다. 더 많은 학교와 교육 기관은 XR을 활용한 학습 환경을 도입하고 있으며, 이는 학생들에게 더 나은 학습 경험을 제공할 것입니다. 앞으로 XR 교육은 교육 방법과 접근 방식을 혁신적으로 변화시키며, 학생들의 학습 성과를 향상시킬 것으로 기대됩니다.

▪ 엔터테인먼트 문화

메타버스와 XR 기술은 엔터테인먼트 문화에 혁명을 가져오고 있습니다. 엔터테인먼트 분야에서의 XR 활용은 새로운 차원의 상호작용, 몰입, 그리고 참여를 제공하며 다양한 장르와 콘텐츠를 혁신적으로 발전시키고 있습니다.

가상현실 게임

VR 기술을 활용한 가상 현실 게임은 엔터테인먼트 분야에서 가장 주목받는 사례 중 하나입니다. 이러한 게임은 플레이어를 현실에서는 불가능한 세계로 끌어들이며 몰입감을 극대화합니다. 플레이어는 가상 환경에서 캐릭터가 되어 다양한 도전 과제를 수행하고 다른 플레이어와 상호작용할 수 있습니다.

예를 들어, VR 전용 리듬 게임인 "비트세이버(Beat Saber)"는 플레이어가 두 손에 라이트 세이버를 들고 음악에 맞춰 나오는 블록을 베는 게임입니다. 이 게임은 음악과 시각적 효과를 조합하여 플레이어에게 환상적인 리듬 경험을 제공하며 수백만 명의 플레이어가 이용하고 있습니다.

또한, VR 플랫폼에서의 협동 및 대결 멀티플레이어 게임은 전 세계의 플레이어들이 가상 세계에서 만나 서로 경쟁하고 협력할 수 있는 기회를 제공합니다. "Rec Room"과 같은 플랫폼은 다양한 미니 게임을 제공하며 소셜 요소를 강화하여 플레이어 간의 소통과 협력을 촉진합니다.

이미지 출처 : Rec Room Inc.

가상 공연과 콘서트

메타버스와 XR은 엔터테인먼트 공연 및 콘서트의 경험을 혁신하고 있습니다. 가상 현실을 활용한 가상 콘서트는 아티스트와 관객 간의 물리적 거리를 극복하며 음악을 더욱 몰입적으로 감상할 수 있는 기회를 제공합니다. 아티스트들은 가상 무대에서 공연을 하고, 관객들은 가상 현실 헤드셋을 통해 이를 시청하며 서로와 소통할 수 있습니다.

에픽게임즈에서 제작한 "포트나이트(Fortnite)"라는 인기 게임 플랫폼은 다양한 아티스트와 협업하여 가상 콘서트를 개최하는 등 가상 현실을 활용한 엔터테인먼트 문화를 선도하고 있습니다. 이러한 가상 콘서트는 수백만 명의 관객을 동시에 수용할 수 있으며, 전 세계적으로 화제를 모으고 있습니다.

이미지 출처 : 포트나이트 공식 라운지. 네이버게임

가상 영화 및 드라마

XR 기술은 영화와 드라마 제작에도 혁신을 가져오고 있습니다. 가상 현실과 확장현실은 관객에게 전체적으로 몰입한 경험을 제공하며, 스토리텔링과 시각 효과를 혁신적으로 결합합니다. 이를 통해 관객은 이전에 경험하지 못한 시네마틱한 여행을 떠날 수 있습니다. XR 드라마 시리즈는 시청자들에게 상호작용 가능한 캐릭터와 환경을 제공하여 스토리에 참여하고 결정을 내릴 수 있는 기회를 제공합니다.

유명인과 소셜 VR

메타버스와 XR은 유명인들과 관객들 간의 상호작용을 확장합니다. 유명인들은 가상 현실 공간에서 팬들과 만날 수 있으며, 팬들과 대화하고 공연을 진행할 수 있습니다. 이를 통해 팬들은 아이돌이나 아티스트와 더 가까운 관계를 형성할 수 있으며,

유명인들은 새로운 형태의 팬 서비스를 제공할 수 있습니다. 실제로 가상 공간에서 플랫폼을 이용하여 다양한 사람들과 만날 수 있는 플랫폼으로 활용하기도 합니다. 유명 스트리머나 콘텐츠 크리에이터들은 가상 공간에서 팬들과 대화하고 콘텐츠를 공유하며 새로운 소셜 경험을 제공합니다.

리얼리티 쇼 및 이벤트

XR 기술은 현실에서는 이루기 어려운 이벤트와 쇼를 가상으로 구현하는 데 활용됩니다. 가상 리얼리티 쇼는 디지털 콘텐츠 크리에이터, 아티스트, 디자이너들이 현실에서 제한 없이 상상력을 펼칠 수 있는 공간을 제공합니다. 이를 통해 다양한 예술과 엔터테인먼트 형태를 탐색하고 관객과 공유할 수 있습니다. 가상 리얼리티 쇼의 예로는 가상 밴드 콘서트, 아트 갤러리 투어, 가상 시어터 공연 등이 있습니다.

스포츠 및 e스포츠

XR 기술은 스포츠와 e스포츠 분야에서도 혁신을 가져오고 있습니다. 가상 현실을 활용한 스포츠 경험은 사용자들에게 프로 스포츠 경기의 일부가 되어 참여할 수 있는 기회를 제공합니다. 또한, e스포츠 토너먼트와 대회는 가상 세계에서 열리며 전 세계적인 관객들과 플레이어들이 온라인으로 경쟁하고 협력할 수 있습니다.

가상 현실 미술과 창작

XR 기술은 예술과 창작 분야에서도 큰 역할을 하고 있습니다. 가상 현실 미술은 작가들에게 현실에서는 불가능한 창작 환경을 제공하며, 사용자들은 가상 공간에서 작품과 예술 작업물을 탐색하고 상호작용할 수 있습니다. 예를 들어, "틸트 브러시(Tilt Brush)"와 같은 VR 애플리케이션은 사용자가 가상 공간에서 회화와 조각 작업을 진행할 수 있는 플랫폼을 제공합니다.

PlayStation.Blog

■ 비즈니스 및 경제 활동

메타버스와 XR 기술은 비즈니스와 경제 활동 영역에서 혁명적인 변화를 가져오고 있습니다. 이러한 기술은 기업, 기업 환경, 비즈니스 모델에 새로운 가능성을 제시하며 다양한 비즈니스 분야에서 활용됩니다.

가상회의와 협업

메타버스와 XR은 비즈니스 회의와 협업을 혁신하고 있습니다. 가상 현실 회의 공간에서 다양한 지리적 위치에 있는 팀원들이 모여 실제와 유사한 환경에서 회의를 진행할 수 있습니다. 이를 통해 비즈니스 전략 논의, 제품 개발, 프로젝트 관리 등이 효과적으로 이루어집니다.

"스페이셜(Spatial)"과 "알트스페이스(AltspaceVR)"과 같은 플랫폼은 가상 회의를 가능하게 하며 사용자들은 가상 환경에서 3D 모델과 콘텐츠를 공유하고 상호작용합니다. 이러한 가상 회의 플랫폼은 비즈니스 커뮤니케이션의 새로운 방식을 제공하며 지속적인 원격 작업에 적합합니다.

가상상점과 전자 상거래

메타버스와 XR은 가상 상점과 전자 상거래 분야에서 혁신적인 아이디어를 실현합니다. 가상 현실 상점에서 사용자들은 가상 세계 내에서 제품을 둘러보고 구매할 수 있으며, 실제로 상품을 착용하거나 시도해 볼 수 있습니다. 이러한 가상 상점은 패션, 패션 액세서리, 화장품, 가전 제품 등 다양한 제품을 소비자에게 제공합니다.

예를 들어, "로블록스(Roblox)"와 같은 메타버스 플랫폼은 사용자들이 가상 상점에서 가상 아이템을 구매하고 사용할 수 있도록 합니다. 이로 인해 가상 상점은 디지털 경제의 일부로 자리 매김하며 가상 자산과 현실 화폐 간의 거래가 가능해집니다.

행사 및 마케팅

메타버스와 XR은 이벤트 및 마케팅 영역에서도 큰 역할을 합니다. 기업들은 가상 현실 행사를 개최하여 제품 발표, 브랜드 홍보, 소비자 상호작용을 촉진합니다. 이러한 행사는 전 세계 관객과 소비자를 대상으로 하며 비용 효율적인 방식으로 브랜드 인식을 확대합니다. 또한, 가상 현실 마케팅은 제품 런칭 및 디지털 광고 캠페인을 진행하는 데 활용됩니다. 사용자들은 가상 환경에서 제품을 체험하고 상호작용할 수 있으며, 이를 통해 더 깊은 관심을 유발하고 제품에 대한 흥미를 돋독하게 합니다.

브랜드 경험과 상호작용

메타버스와 XR은 브랜드 경험과 소비자 상호작용을 혁신하고 있습니다. 기업들은 가상 환경에서 브랜드 홍보를 통해 고객과 상호작용하고 브랜드 충성도를 높입니다. 가상 세계에서 제품을 체험하고 사용자 정의할 수 있는 기회를 제공함으로써 소비자들과 브랜드 간의 관계를 강화합니다.

예를 들어, 가상 세계에서의 브랜드 홍보 이벤트는 소비자들에게 제품의 가상 버전을 사용할 수 있는 기회를 제공합니다. 이를 통해 제품에 대한 더 깊은 이해와 상호작용이 가능하며, 브랜드와 소비자 간의 관계가 더욱 강화됩니다.

04
메타버스의 미래와 도전

이 장에서는 메타버스, XR 및 VR 기술의 미래 전망과 현재 직면한 과제에 대해서 다룰 것입니다. 메타버스, XR 및 VR 기술은 미래의 디지털 세계를 형성하고 변화시킬 것입니다. 혁신적인 기술과 창의적인 사용 사례는 새로운 경제적 기회를 제공하고 사용자에게 현실에서는 불가능한 경험을 제공합니다. 그러나 이러한 기술을 구현하면서 발생하는 다양한 과제에 대처하는 것이 중요합니다. 규제, 보안, 교육, 접근성 등 다양한 영역에서 협력하여 미래의 메타버스와 XR 환경을 더욱 지속 가능하고 포용적으로 발전시키는 것이 필요합니다.

■ 미래의 XR, VR 및 메타버스 전망

메타버스, XR 및 VR 기술은 디지털 세계의 미래를 형성하고 혁신적인 변화를 주도하고 있습니다. 이러한 기술은 우리의 현실과 가상 세계를 결합시키며 새로운 경험과 기회를 제공합니다.

XR, VR 및 메타버스의 미래 전망

1. 현실과 가상의 융합

XR 기술은 현실과 가상의 경계를 허물며 현실적인 가상 환경을 제공합니다. 미래에는 XR 기술이 더욱 현실적이고 몰입감 있는 경험을 제공할 것으로 예상됩니다. 현실과 가상의 융합은 엔터테인먼트, 교육, 의료 및 기업 환경에서 혁신적인 콘텐츠와 솔루션을 창출할 것입니다.

2. 메타버스의 확장

메타버스는 가상 세계와 현실 세계의 융합을 통해 더욱 다양한 분야로 확장될 것으로 예상됩니다. 가상 현실과 현실 간의 상호작용은 새로운 디지털 경험과 협업 모델을 제공할 것이며, 사회적 상호작용과 비즈니스 환경에서 새로운 가능성을 열어줄 것입니다.

3. 더 나은 사용자 경험

XR 및 VR의 진화는 사용자 경험을 개선할 것으로 예상됩니다. 높은 해상도, 빠른 프로세싱, 햅틱 피드백, 머신 러닝과 같은 기술 발전은 더 나은 몰입감과 현실감을 제공합니다. 사용자들은 더욱 현실적이고 풍부한 가상 환경에서 콘텐츠를 체험할 수 있을 것입니다.

4. 교육 및 훈련

XR, VR 및 메타버스는 교육 및 훈련 분야에서 혁신을 이뤄낼 것으로 예상됩니다. 학생들과 직원들은 가상 환경에서 현실적인 시뮬레이션을 통해 더욱 효과적으로 학습하고 훈련할 수 있을 것입니다. 의료 분야에서도 가상 환경을 활용한 의료 시뮬레이션과 치료가 더욱 발전할 것입니다.

5. 비즈니스와 경제의 디지털화

메타버스와 XR은 비즈니스 모델을 변화시킬 것으로 예상됩니다. 가상 회의, 디지털 상점, 가상 환경 내에서의 광고 및 마케팅은 기업 환경을 디지털로 변형시키고 비즈니스의 경쟁력을 높일 것입니다.

6. 실시간 스트리밍과 인터랙션

라이브 스트리밍 플랫폼은 가상 현실과 메타버스에서도 활용될 것입니다. 스트리머들은 가상 세계에서의 라이브 방송을 통해 수천 명의 시청자와 상호작용하며 엔터테인먼트를 제공할 것입니다. 사용자들은 스트리머와 실시간으로 소통하며 콘텐츠를 공유할 수 있을 것입니다.

몰입형 경험의 진화를 위한 고려 사항

1. 프라이버시와 보안

미래의 XR, VR 및 메타버스 환경에서는 사용자 데이터의 프라이버시와 보안에 대한 주의가 더욱 중요해집니다. 개인 정보 보호 및 데이터 보안을 위한 엄격한 정책과 기술적 조치가 필요합니다.

2. 디지털 격차 줄이기

모든 사람에게 XR, VR 및 메타버스의 혜택을 확대하기 위해 디지털 격차를 줄이는 노력이 필요합니다. 저렴한 장치 및 높은

대역폭의 액세스를 확보하여 더 많은 사람들이 이러한 기술을 사용할 수 있도록 해야 합니다.

3. 윤리적 가치

XR, VR 및 메타버스에서는 윤리적 고려사항이 더욱 중요해집니다. 가상 환경에서의 행동 규범, 인간-인공 지능 상호작용, 디지털 현실에서의 윤리적 가치 등을 고려해야 합니다.

4. 교육과 교육자의 역할

교육 분야에서 XR, VR 및 메타버스의 성공은 교육자와 교육 기관의 적극적인 참여에 달려있습니다. 교육자들은 이러한 기술을 효과적으로 활용하고 교육 방법을 혁신해야 합니다.

5. 규제와 정책

새로운 기술이 등장함에 따라 규제와 정책 역시 업데이트되어야 합니다. 메타버스, XR 및 VR의 규제와 윤리적 가이드라인을 개발하고 시행하는 것이 중요합니다.

■ 메타버스와 도전 과제

메타버스, XR 및 VR 기술은 현실과 가상 세계의 융합을 통해 혁신적인 경험을 제공하지만, 이러한 기술을 구현하면서 다양한 프라이버시, 보안 및 윤리적 고려 사항이 발생합니다. 이러한 사항들은 메타버스, XR 및 VR의 성공적인 발전과 사용자 신뢰 구축에 중요한 역할을 합니다. 이를 효과적으로 다루면서 사용자들에게 새로운 디지털 경험을 제공하는 것이 중요하며, 이를 통해 미래의 디지털 세계를 더욱 안전하고 윤리적으로 발전시킬 수 있을 것입니다.

프라이버시와 보안 문제

1. 개인 정보 보호

XR, VR 및 메타버스 환경에서 사용자의 개인 정보 보호는 핵심 고려 사항 중 하나입니다. 가상 환경에서 사용자의 동작, 위치, 음성 및 얼굴 특징과 같은 정보를 수집하고 저장하는 경우, 이러한 데이터의 보안과 안전한 관리가 중요합니다.

2. 사용자 트래킹: 가상 환경에서의 사용자 트래킹은 개인 정보 보호 문제로 이어질 수 있습니다. 사용자의 움직임 및 활동을 추적하는 기술은 사용자에게 불편함을 줄 수 있으며, 이러한 기술을 사용할 때에는 투명성과 사용자 동의가 필요합니다.

3. 보안 취약점: 가상 현실 및 메타버스 플랫폼은 보안 취약점에 취약할 수 있으며 해커의 공격 대상이 될 수 있습니다. 사용자 데이터의 유출과 기술적 취약점을 막기 위한 강력한 보안 조치가 필요합니다.

윤리적 고려사항

1. 가상 현실에서의 행동 규범

가상 환경에서의 행동 규범과 윤리적인 행동은 중요한 문제입니다. 가상 공간에서 다른 사용자와 상호작용할 때의 규칙과 윤리적 지침을 개발하고 준수해야 합니다.

2. 인간-인공 지능 상호작용

메타버스 및 가상 환경에서 인간과 인공 지능 간의 상호작용은 윤리적 고려가 필요합니다. AI의 행동과 의사 결정은 사용자의 안전과 편의를 최우선으로 고려해야 합니다.

3. 가상 현실에서의 신체 표현

가상 환경에서의 사용자 신체 표현은 민감한 문제일 수 있습니다. 성별, 인종, 신체 이미지에 대한 편견 없는 다양한 표현을 존중하고 포용해야 합니다.

규제와 정책 개발

1. 기술 규제

메타버스, XR 및 VR 기술에 대한 규제와 정책은 사용자 보호와 기술의 적절한 활용을 보장하기 위해 필요합니다. 사용자 데이터 관리, 보안 표준 및 윤리적 가이드라인을 개발하고 시행하는 것이 중요합니다.

2. 투명성과 동의

사용자들은 자신의 데이터가 어떻게 수집되고 사용되는지에 대한 투명한 정보를 받아야 합니다. 동의 절차는 명확하고 사용자에게 이해하기 쉬워야 합니다.

3. 교육과 인식 증진

사용자와 개발자 모두에게 프라이버시, 보안 및 윤리에 대한 교육과 인식을 증진시키는 것이 중요합니다. 올바른 동작과 윤리적 가이드라인을 준수하기 위해 꾸준한 노력이 필요합니다

유용한 기술과 디자인

암호화 기술

암호화 기술은 메타버스와 XR에서 사용되는 데이터의 보안과 개인 정보 보호에 중요한 역할을 합니다. 메타버스 플랫폼은 사용자들의 개인 정보와 디지털 자산을 안전하게 보호해야 하며, 암호화 기술은 이를 실현하는 핵심 요소 중 하나입니다. 데이터의 보안을 강화하기 위해 강력한 암호화 기술을 사용할 수 있으며, 암호화는 사용자 데이터를 외부 공격으로부터 보호하는 데에 도움을 줄 수 있습니다.

1. 데이터 보안

메타버스에서는 사용자들의 다양한 데이터가 전송되고 저장되며, 이 데이터는 무단 접근으로부터 보호되어야 합니다. 암호화 기술은 데이터를 안전하게 보호하고 해독할 수 있는 사용자나 장치를 제한함으로써 데이터의 안전성을 보장합니다.

2. 개인 정보 보호

사용자들의 개인 정보는 메타버스에서 매우 중요한 자산입니다. 암호화 기술은 사용자들의 개인 정보를 안전하게 보호하고, 필요한 경우에만 열람할 수 있도록 제어합니다.

3. 디지털 자산 보호

메타버스에서는 가상 자산과 디지털 자산이 중요한 역할을 합니다. 이러한 자산은 암호화 기술을 사용하여 안전하게 저장되며, 무단 접근을 방지합니다.

블록체인 기술

블록체인 기술은 메타버스와 XR에서 분산 데이터 관리 및 보안을 강화하는 데 사용됩니다. 이 기술은 중앙 집중식 데이터베이스 대신 분산된 데이터 저장소를 제공하며, 데이터의 무결성을 보장하고 거래를 추적할 수 있도록 합니다. NFT와 같은 블록체인 기술은 가상 환경에서 자산을 관리하는 데 사용될 수 있습니다.

1. 분산 데이터베이스

블록체인은 데이터를 여러 노드에 분산하여 중앙 집중식 데이터베이스와 달리 단일 고장 지점을 제거합니다. 이는 메타버스에서 안정적인 데이터 저장과 관리를 가능하게 합니다.

2. 데이터 무결성

블록체인은 데이터 무결성을 제공하여 데이터가 변경되지 않았음을 증명합니다. 이는 사용자들이 신뢰할 수 있는 정보를 받을 수 있도록 도와줍니다.

3. 스마트 컨트랙트(contract)

스마트 계약은 블록체인에서 실행되는 프로그램으로, 조건에 따라 자동으로 실행되는 계약입니다. 메타버스와 XR에서는 스마트 계약을 통해 사용자들 간의 거래와 계약을 자동화하고 보안을 강화할 수 있습니다.

4. 디지털 자산 및 NFTs

블록체인은 디지털 자산의 소유권을 증명하는 데 사용되며, 메타버스에서 NFTs와 같은 고유한 디지털 자산을 추적하고 거래할 수 있도록 합니다.

<u>윤리적 디자인</u>

메타버스와 XR 분야에서의 디자인은 사용자들에게 긍정적인 경험을 제공하면서도 윤리적 원칙을 준수해야 합니다. 윤리적 디자인은 사용자들의 권리와 가치를 존중하고, 디지털 환경에서의 긍정적인 상호작용을 촉진하는 데 중요한 역할을 합니다. 개발자와 디자이너들은 윤리적 가이드라인을 준수하고 사용자를 존중하는 콘텐츠 및 디자인을 개발해야 합니다. 특히 사용자 중심의 접근 방식을 채택하여 콘텐츠를 제공하는 것이 중요합니다. 이는 디자이너들이 윤리적 원칙을 존중하고 사용자들

의 가치를 중요시하며, 더 나은 디지털 환경을 조성하기 위해 노력해야 하는 것을 의미합니다.

1. 윤리적 디자인 원칙

① 개인 정보 보호 : 사용자들의 개인 정보와 데이터를 존중하고 안전하게 보호해야 합니다. 개인 정보를 수집하고 사용할 때는 사용자의 동의를 얻어야 하며, 데이터 유출을 방지하기 위한 적절한 보안 조치를 취해야 합니다.

② 차별 금지 : 윤리적 디자인은 인종, 성별, 성적 지향, 종교, 장애 등의 차별을 금지하고, 다양성과 포용성을 촉진해야 합니다. 사용자들은 어떤 배경에서도 공평하게 서비스를 이용할 수 있어야 합니다.

③ 무독성과 중립성 : 디자인은 사용자들에게 부정적인 영향을 미치지 않아야 하며, 무독성과 중립성을 유지해야 합니다. 사용자들의 마음과 정신 건강을 존중하고 보호해야 합니다.

④ 투명성과 윤리적 의사소통 : 윤리적 디자인은 사용자들과의 투명하고 윤리적인 의사소통을 강조합니다. 사용자들은 디자인의 목적과 데이터 처리 방식을 이해하고 신뢰할 수 있어야 합니다.

⑤ 사용자 중심 디자인 : 사용자 중심 디자인 원칙을 준수해야 합니다. 사용자들의 니즈와 편의성을 고려하여 디자인을 개발하고, 사용자 피드백을 수용해야 합니다.

2. 윤리적 디자인 사례

① 가상 공간의 안전성 : 메타버스에서의 가상 공간은 사용자들에게 안전한 환경을 제공해야 합니다. 사적인 정보와 디지털 자산의 안전을 보장하며, 악성 행위와 괴롭힘을 방지하기 위한 조치를 취해야 합니다.

② 디지털 중독 방지 : 디자인은 사용자들의 디지털 중독을 예방하기 위한 기능을 제공할 수 있습니다. 사용자들에게 사용 시간 제한 설정과 휴식 시간을 촉진하는 도구를 제공하고, 건강한 디지털 습관을 유도할 수 있습니다.

③ 차별 예방 : 메타버스와 XR 환경에서는 차별이 없도록 디자인되어야 합니다. 가상 세계는 모든 사용자들에게 동등한 기회를 제공하고, 다양성과 포용성을 반영해야 합니다.

④ 자동화된 의사소통 : 스마트 에이전트와 자동화된 의사소통은 윤리적으로 사용되어야 합니다. 이러한 기술은 사용자들에게 편리함을 제공하면서도 윤리적 기준을 준수해야 합니다.

■ 미래를 위한 현실적인 고찰

메타버스의 이슈와 고민

메타버스의 등장으로 우리는 디지털 세계의 새로운 형태와 가능성을 경험하고 있습니다. 그러나 이 새로운 디지털 세계에는 다양한 이슈와 고민들이 존재하며, 이러한 문제들을 해결하고 디지털 세계를 더욱 발전시키기 위한 노력이 필요합니다. 여기서는 관련된 다양한 이슈와 고민들을 심층적으로 살펴보고, 현실적인 고찰을 제시하고자 합니다.

디지털 불평등과 접근성

메타버스와 XR 기술은 현실과 가상 세계 간의 디지털 격차를 더욱 크게 만들 수 있습니다. 디지털 기술에 접근하지 못하는 사람들은 메타버스에서의 혜택을 누리지 못할 수 있으며, 이는 디지털 불평등을 더욱 심화시킬 수 있습니다. 이를 해결하기 위해서는 디지털 접근성을 향상시키는 방법을 모색해야 합니다.

예를 들어, 메타버스 플랫폼은 다양한 장애를 가진 사용자들을 고려한 접근성 기능을 강화하고, 디지털 플랫폼에 접근할 수 없는 사용자들을 위한 대안을 고려해야 합니다.

개인 정보 보호와 보안

메타버스에서의 디지털 활동은 사용자의 개인 정보와 데이터를 노출시킬 수 있습니다. 또한 가상 공간에서의 상호작용은 보안 문제를 야기할 수 있으며, 사용자들의 디지털 자산을 위협할 수 있습니다. 개인 정보 보호와 보안 문제를 해결하기 위해서는 안전한 디지털 환경을 구축하고 사용자들의 정보를 보호하는 방안을 모색해야 합니다.

예를 들어, 메타버스 플랫폼은 강화된 암호화 기술과 보안 프로토콜을 도입하여 사용자들의 데이터를 보호하고, 개인 정보

유출을 방지하기 위한 노력을 기울여야 합니다.

디지털 중독과 건강 문제

메타버스와 XR 기술은 현실과 가상 세계 간의 경계를 허물며, 사용자들을 가상 세계에 끌어들일 수 있습니다. 이로 인해 디지털 중독과 신체 건강 문제가 발생할 수 있으며, 이를 방지하고 관리하기 위한 전략이 필요합니다. 사용자들은 현실과 가상 세계 간의 균형을 유지하며 건강한 디지털 생활을 유지할 필요가 있습니다.

예를 들어, 메타버스 플랫폼은 사용자들에게 디지털 중독을 방지하고 건강한 디지털 습관을 촉진하는 도구와 리소스를 제공할 수 있습니다.

디지털 소통과 인간관계

메타버스에서의 소통은 현실과는 다르게 이뤄질 수 있습니다. 가상 세계에서의 인간관계는 현실과는 다른 동적을 갖고 있으며, 이로 인해 갈등과 문제가 발생할 수 있습니다. 디지털 세계에서의 소통과 인간관계를 관리하고 개선하기 위한 방법을 모색해야 합니다.

예를 들어, 메타버스 플랫폼은 사용자들에게 적절한 소통 가이드라인을 제공하고, 디지털 커뮤니티에서의 적절한 행동을 촉진하는 교육을 제공할 수 있습니다.

디지털 경제와 규제

메타버스는 새로운 디지털 경제를 형성하고 있으며, 이를 규제하고 지원하기 위한 정책과 제도가 필요합니다. 디지털 경제의 발전은 새로운 기회를 제공하면서도 경제적인 불평등과 독점을 야기할 수 있으며, 균형을 유지하기 위한 노력이 필요합니다.

예를 들어, 메타버스 경제를 규제하고 경제적인 공정성을 촉진하기 위한 정책과 제도를 도입해야 합니다.

문화적인 다양성과 표현의 자유

메타버스는 다양한 문화적 배경과 표현의 다양성을 허용하고 존중해야 합니다. 그러나 현실과 같이 메타버스에서도 인종차별, 성차별, 차별 등의 문제가 발생할 수 있으며, 이를 해결하기 위한 노력이 필요합니다.

예를 들어, 메타버스 플랫폼은 다양성과 포용성을 촉진하기 위한 교육 및 캠페인을 실시하고, 다양한 문화와 표현을 존중하며, 차별을 방지하기 위한 조치를 취해야 합니다.

환경 문제와 지속 가능성

메타버스와 XR 기술은 디지털 인프라와 데이터 센터의 증가를 초래할 수 있으며, 이로 인해 환경 문제가 발생할 수 있습니다.

에너지 소비, 전자 폐기물, 자원 소모 등 환경 영향을 고려하고 지속 가능한 디지털 환경을 조성하기 위한 노력이 필요합니다.

예를 들어, 메타버스 기업은 친환경 기술과 에너지 효율성을 강화하여 친환경적인 메타버스를 조성할 수 있으며, 재활용 및 폐기물 처리 정책을 도입할 수 있습니다.

법률과 규정의 모호성

메타버스와 XR 기술의 급속한 발전은 법률과 규정의 모호성을 초래할 수 있습니다. 디지털 경계가 불분명한 상황에서는 저작권, 지적재산권, 개인 정보 보호 등 다양한 법적 문제가 발생할 수 있으며, 이를 해결하기 위한 법률적 지침이 필요합니다. 다음은 디지털 세계의 확장으로 인해 기존의 법적 틀과 새로운 기술 간의 조화를 찾기 어려운 문제들에 대한 내용입니다.

- 저작권 및 지적재산권 : 메타버스와 XR 환경에서는 가상 공간 내에서의 창작물과 지적재산권이 복잡하게 얽히게 됩니다. 가상 현실에서의 창작물에 대한 저작권 보호 및 소유권 문제, 사용자가 생성한 콘텐츠의 지적재산권 소유와 공유 등 다양한 법적 문제가 발생할 수 있습니다.

- 개인 정보 보호 : 메타버스에서의 사용자 데이터 수집과 처리는 GDPR 및 기타 개인 정보 보호 법규와 충돌

할 수 있습니다. 사용자 데이터의 위치, 보관 기간, 동의 절차 등에 대한 규정이 불분명하여 개인 정보 보호 문제가 발생할 수 있습니다.

- 가상 자산 및 암호화폐 : 메타버스 내에서 가상 자산과 암호화폐 거래는 금융 규제와 관련이 있으며, 국가 및 지역별로 규제가 다를 수 있습니다. 따라서 이러한 거래에 대한 법적 모호성이 존재하며, 사용자들과 기업들은 이를 이해하고 준수해야 합니다.
- 디지털 명예훼손 및 사이버 공격 : 메타버스 내에서의 명예훼손, 사이버 공격 및 디지털 범죄에 대한 법적 처리는 어려움을 겪고 있습니다. 사용자들 간의 갈등과 법적 분쟁을 해결하기 위한 적절한 법적 틀이 필요합니다.
- 광고와 스폰서십 : 메타버스 내에서의 광고와 스폰서십은 광고 기준과 윤리적 가이드라인을 준수해야 합니다. 그러나 이러한 규정이 불분명하거나 적용이 어려울 때 법적 모호성이 발생할 수 있습니다.

이를 해결하기 위한 방안으로, 법률 전문가와의 협력, 산업규제 개발, 국제 협력, 사용자 교육 등에 대한 방안을 들 수 있습니다. 먼저, 법률 전문가와의 협력으로는 메타버스와 XR 기술 업계는 법률 전문가와 협력하여 법적 모호성을 해결할 필요가 있습니다. 법률 전문가들은 새로운 기술과 환경에 대한 이해와 경험이 있어 이러한 도전적인 문제를 해결하는 데 도움을 줄 수 있습니다.

다음으로 산업 규제 개발의 경우, 정부와 산업 단체는 메타버스와 XR 분야에 대한 적절한 규제 및 가이드라인을 개발해야 합니다. 사용자들과 기업들은 이러한 규제를 준수하고 이해하기 쉬운 형태로 제공받아야 합니다.

국제 협력의 경우, 메타버스와 XR은 국제적인 특성을 가지고 있으며, 법적 모호성은 국경을 넘어가는 문제일 수 있습니다. 국제적인 협력과 표준화 노력이 필요합니다.

마지막으로 사용자 교육으로는 사용자들은 디지털 환경에서의 권리와 의무를 이해해야 합니다. 사용자 교육 및 정보 제공은 법적 모호성을 줄이는 데 도움이 될 수 있습니다.

윤리적 가이드라인

메타버스와 XR 기술은 다양한 윤리적 고려 사항을 불러일으킵니다. 디지털 환경에서의 윤리적인 행동과 책임은 중요하며, 이를 위한 윤리적 가이드라인과 교육이 필요합니다.

예를 들어, 메타버스 사용자들과 디지털 업계는 윤리적인 상호작용을 촉진하기 위한 교육과 윤리적 가이드라인을 개발해야 합니다.

디지털 미래를 위한 협력

메타버스와 XR 기술의 성공과 지속 가능성을 위해서는 다양한 이해 관계자들 간의 협력이 필요합니다. 정부, 기업, 학계, 시민 사회 등 모든 이해 관계자들은 함께 미래의 디지털 세계를 고민하고, 협력하여 문제를 해결해야 합니다.

메타버스와 XR 기술은 현실 세계를 변화시키고, 디지털 세계의 가능성을 확장하고 있습니다. 그러나 이러한 변화와 가능성은 동시에 다양한 이슈와 고민을 불러일으키고 있습니다. 이러한 문제들을 해결하고, 미래의 메타버스와 XR 기술을 더욱 지속 가능하고 풍요로운 것으로 만들기 위해서는 현실적인 고찰과 협력이 필요합니다.

05
메타버스 디자인의 중요성과 역할

메타버스 디자인은 디지털 세계의 미래를 형성하는 핵심적인 역할을 하고 있으며, 디자이너들은 이를 통해 혁신적인 경험을 제공하고 사용자들의 삶을 더욱 풍요롭게 만들어 나갈 것입니다. 이는 메타버스 기술과 디자인의 조화로 새로운 현실을 창조하고 미래를 형성하는 과정에서 중요한 부분입니다. 이 장에서는 메타버스 디자인의 중요성과 디자이너의 역할, 메타버스를 통한 디자인의 미래에 대해 살펴보겠습니다.

■ 메타버스 디자이너의 역할과 책임

메타버스 디자이너는 가상 환경을 디자인하고 구축하는 데 핵심적인 역할을 담당합니다. 이들은 다양한 책임과 임무를 수행하며 메타버스를 현실과 가상 세계의 융합된 경험으로 만들어 냅니다. 다음의 내용들을 메타버스 디자이너가 담당하는 역할 및 분야입니다.

가상 환경 디자인

메타버스는 가상 환경에서 현실과 유사하거나 그 이상의 경험을 제공하는 디지털 세계를 의미합니다. 이러한 가상 환경은 메타버스 디자이너들에 의해 창조되며, 사용자들에게 몰입감 있고 풍부한 경험을 제공하기 위해 디자인됩니다. 가상 환경 디자인은 메타버스의 핵심적인 구성 요소 중 하나로, 사용자 경험을 결정하는 역할을 합니다. 이로 인해 현대사회에서 가상 환경 디자인이 메타버스의 핵심적인 부분으로 부상하고 있습니다.

가상 환경 디자인의 중요성

1. 사용자 몰입과 상호작용 제공

가상 환경 디자인은 사용자가 메타버스 내에서 몰입하고 상호작용할 수 있는 환경을 제공합니다. 사용자들은 디자인된 가상 공간에서 다른 사용자와 소통하며 다양한 활동을 즐깁니다. 이는 메타버스의 핵심적인 매력 중 하나입니다.

2. 현실과 가상의 경계 해소

가상 환경 디자인은 현실과 가상의 경계를 해소하고 두 세계를 융합하는 데에 기여합니다. 사용자들은 가상 환경에서 현실과 유사한 경험을 즐길 수 있으며, 이는 새로운 디지털 세계의 형성을 의미합니다.

3. 다양한 분야와 응용 가능성 확대

가상 환경 디자인은 엔터테인먼트, 교육, 의료, 비즈니스 및 기타 다양한 분야에 적용 가능합니다. 따라서 이 분야에서 혁신과 경제적인 기회를 창출하는 데에 핵심적인 역할을 합니다.

가상 환경 디자인의 주요 원칙

1. 사용자 중심 디자인

사용자 중심 디자인은 가상 환경을 사용하는 사용자들의 요구와 선호도를 이해하고 반영하는 것을 의미합니다. 사용자의 경험을 개선하기 위해 사용자 연구, 피드백 수집 및 테스트를 수행해야 합니다.

2. 몰입감 제공

가상 환경은 사용자가 현실에서와 같은 몰입감을 느낄 수 있어야 합니다. 고품질의 3D 그래픽, 음향 효과, 터치 및 감각 피드백은 사용자의 몰입감을 증가시키는 데에 필수적입니다.

3. 인터페이스와 상호작용 최적화

가상 환경의 인터페이스와 상호작용은 직관적이고 효과적이어야 합니다. 사용자들은 쉽게 가상 환경을 탐색하고 상호작용할 수 있어야 하며, 이를 위해 UI/UX 디자인을 최적화해야 합니다.

4. 현실과의 연결 유지

가상 환경은 현실과 연결되어 있어야 합니다. 현실에서의 데이터, 위치 정보, 물리적 객체와의 상호작용 등을 통해 사용자들은 더욱 현실감 있는 경험을 즐길 수 있습니다.

5. 다양성과 포용성 고려

가상 환경 디자인은 다양한 사용자를 고려해야 합니다. 성별, 인종, 신체 능력에 관계없이 모든 사용자들이 가상 환경을 편안하게 이용할 수 있도록 고려해야 합니다.

가상 환경 디자인의 미래

가상 환경 디자인은 미래에 더욱 혁신적으로 발전할 것으로 예상됩니다. 다음과 같은 미래 전망을 고려할 수 있습니다.

1. AI와의 통합

인공 지능(AI) 기술은 가상 환경 디자인에 더욱 통합될 것입니다. AI는 사용자와 상호작용하고 개인화된 경험을 제공하는 데에 활용될 것이며, 사용자에게 더욱 현실적인 가상 환경을 제공할 것입니다.

2. 블록체인과 보안 강화

가상 환경은 블록체인 기술을 활용하여 사용자 데이터의 보안과 무결성을 강화할 것입니다. 사용자들은 개인 정보와 자산을 안전하게 관리하며, 디지털 자산의 소유권을 보호받을 것입니다.

3. 협업과 창의성 증진

가상 환경 디자인은 협업과 창의성을 증진시킬 것입니다. 디자이너, 엔지니어, 아티스트 등 다양한 분야의 전문가들은 가상 환경을 통해 협업하고 새로운 디지털 경험을 창출할 것입니다.

4. 현실과 가상의 융합 확대

가상 환경 디자인은 현실과 가상의 경계를 해소하고 두 세계를 융합할 것입니다. 사용자들은 더욱 현실적인 가상 환경에서 다양한 활동을 즐길 수 있으며, 이는 디지털 세계의 진화를 의미합니다.

5. 지속 가능한 디자인

가상 환경 디자인은 지속 가능성을 고려해야 합니다. 친환경적인 가상 공간 및 에너지 효율적인 디자인 원칙을 적용하여 친환경적인 메타버스를 구축하는 것이 중요합니다.

3D 모델링 및 애니메이션

메타버스는 현실과 가상의 경계를 허물고 사용자들에게 현실과 유사하거나 그 이상의 경험을 제공하는 디지털 세계로서, 이러한 경험의 핵심 요소 중 하나는 3D 모델링과 애니메이션입니다. 메타버스 디자이너는 3D 모델링과 애니메이션 기술을 사용하여 가상 세계 내의 객체, 캐릭터, 건물 등을 디자인하며, 이는 사용자가 가상 환경에서 더 실제와 유사한 경험을 할 수 있도록 도와줍니다. 다음으로는 3D 모델링과 애니메이션의 중요성과 메타버스에서의 역할, 그리고 미래 전망에 대한 내용을 살펴보겠습니다.

3D 모델링의 중요성

3D 모델링은 메타버스에서 가상 환경을 구축하고 가상 객체, 캐릭터, 건물 등을 디자인하는 데에 필수적인 기술입니다. 이러한 중요성은 다음과 같은 이유로 부각됩니다.

1. 사용자 몰입 강화

3D 모델링은 사용자들이 가상 환경에 몰입하는 데에 기여합니다. 고품질의 3D 모델은 사용자들에게 현실과 유사한 경험을 제공하며, 메타버스 내에서의 활동을 더욱 풍부하게 만듭니다.

2. 가상 콘텐츠 다양성 증대

3D 모델링은 다양한 가상 콘텐츠를 생성하는 데 사용됩니다. 사용자들은 3D 모델링을 통해 가상 전시회, 교육 콘텐츠, 엔터테인먼트 경험, 가상 재화 및 서비스 등을 더욱 다양하게 이용할 수 있습니다.

3. 시각적 풍요로움 제공

3D 모델링은 메타버스의 시각적 요소를 풍부하게 만듭니다. 사용자들은 다양한 3D 모델과 애니메이션을 통해 아름다운 가상 세계를 탐험하고 상호작용할 수 있습니다.

애니메이션의 역할

애니메이션은 3D 모델링과 함께 메타버스에서 시각적 요소를 부각시키는 데 사용됩니다. 애니메이션은 다음과 같은 역할을 합니다.

1. 동적 상호작용 제공

애니메이션은 가상 캐릭터와 객체의 동적 상호작용을 가능하게 합니다. 사용자들은 애니메이션된 캐릭터와 상호작용하며 가상 세계를 더욱 생동감 있게 느낄 수 있습니다.

2. 스토리텔링 강화

애니메이션은 메타버스 내에서 스토리텔링을 강화하는 데에 사용됩니다. 가상 이야기와 이벤트는 애니메이션을 통해 더욱 흥미롭고 몰입감 있는 경험으로 제공됩니다.

3. 사용자 경험 향상

애니메이션은 사용자 경험을 향상시키는 데에 기여합니다. 사용자들은 애니메이션을 통해 가상 환경 내에서의 활동을 더욱 즐기며, 더 나은 몰입감을 느낄 수 있습니다.

3D 모델링과 애니메이션의 미래

3D 모델링과 애니메이션은 메타버스의 미래에 더욱 중요한 역할을 할 것으로 예상됩니다. 다음과 같은 미래 전망을 고려할 수 있습니다.

1. 현실과 가상의 융합

3D 모델링과 애니메이션은 현실과 가상의 경계를 허물고, 사용자들에게 더욱 현실적인 가상 환경을 제공할 것입니다. 현실과 가상의 융합은 메타버스를 더욱 매력적으로 만들 것입니다.

2. AI와의 통합

인공 지능(AI) 기술은 3D 모델링과 애니메이션에 더욱 통합될 것입니다. AI는 캐릭터 및 객체의 자동 생성, 향상된 물리 엔진, 자동화된 애니메이션 등에 사용될 것이며, 디지털 세계를 더욱 풍부하게 만들 것입니다.

3. 협업과 창의성 증진

3D 모델링과 애니메이션은 다양한 전문가들과의 협업을 강화할 것입니다. 디자이너, 아티스트, 프로그래머, 스토리텔러 등이 함께 작업하며 새로운 가상 경험을 창조할 것입니다.

4. 지속 가능한 디자인

3D 모델링과 애니메이션은 지속 가능성을 고려해야 합니다. 친환경적인 모델링 및 애니메이션 기술을 활용하여 에너지 효율적인 가상 환경을 조성하는 것이 중요합니다.

상호작용 및 UX/UI 디자인

메타버스에서의 상호작용과 UI/UX 디자인은 사용자 경험을 혁신적으로 개선하는 데에 핵심적인 역할을 합니다. 상호작용은 사용자의 몰입감을 증가시키고 소통을 촉진하며, UI/UX 디자인은 사용자가 가상 환경을 쉽게 탐색하고 개인화된 경험을 즐길 수 있게 합니다. 미래에는 VR 및 AR 통합, 음성 및 제스처 인터페이스, AI 통합, 확장 가능한 UI/UX 등을 고려하여 메타버스의 상호작용과 UI/UX 디자인이 더욱 혁신적으로 발전할 것으로 기대됩니다. 다음은 메타버스에서의 상호작용과 UI/UX 디자인에 대한 내용입니다.

상호작용의 중요성

메타버스에서의 상호작용은 사용자가 가상 환경 내에서 활동하고 다른 사용자와 소통하는 데 필수적인 요소입니다. 이러한 중요성은 다음과 같은 이유로 부각됩니다.

1. 몰입감과 경험 향상

상호작용은 사용자의 몰입감을 증가시키고 가상 환경에서의 경험을 풍부하게 만듭니다. 사용자들은 다양한 상호작용을 통해 가상 환경을 더욱 현실적으로 느낄 수 있습니다.

2. 소통과 협업 촉진

상호작용은 사용자들 간의 소통과 협업을 촉진합니다. 가상 환경에서의 상호작용은 다른 사용자와의 연결을 가능하게 하며, 협업 기회를 확대합니다.

3. 사용자 개인화

상호작용은 사용자 경험을 개인화하는 데 사용됩니다. 사용자들은 상호작용을 통해 자신만의 가상 세계를 만들고 제어할 수 있으며, 이는 사용자들에게 더 맞춤화된 경험을 제공합니다.

UI/UX 디자인의 역할

UI/UX 디자인은 사용자가 메타버스에서의 경험을 즐기는 데에 큰 영향을 미치는 핵심적인 역할을 합니다. 이는 다음과 같은 방법으로 이루어집니다.

1. 직관적 UI 설계

메타버스의 UI는 직관적이어야 합니다. 사용자들은 쉽게 가상 환경을 탐색하고 상호작용할 수 있어야 하며, UI 디자인은 이를 지원해야 합니다.

2. 몰입감 높은 UX 제공

UI/UX 디자인은 몰입감을 높이는 데 중요한 역할을 합니다. 고품질의 3D 그래픽, 음향 효과, 터치 및 감각 피드백은 사용자의 몰입감을 증가시키는 데 필수적입니다.

3. 다양한 플랫폼 대응

UI/UX 디자인은 다양한 플랫폼에 대응해야 합니다. 사용자들은 PC, 모바일, 가상현실(VR) 기기 등 다양한 디바이스에서 메타버스에 접속하며, UI/UX는 모든 플랫폼에서 일관된 경험을 제공해야 합니다.

4. 사용자 피드백 수집과 개선

UI/UX 디자인은 사용자 피드백을 수집하고 개선하는 데에 활용됩니다. 사용자들의 의견을 수용하여 경험을 지속적으로 향상시키는 것이 중요합니다.

상호작용과 UI/UX 디자인의 미래

메타버스에서의 상호작용과 UI/UX 디자인은 미래에 더욱 혁신적으로 발전할 것으로 예상됩니다. 다음과 같은 미래 전망을 고려할 수 있습니다.

1. VR 및 AR 통합

가상현실(VR) 및 증강현실(AR) 기술은 메타버스에 더욱 통합될 것입니다. 이를 통해 사용자들은 현실과 가상의 경계를 허물며 더욱 풍부한 경험을 누릴 수 있습니다.

2. 음성 및 제스처 인터페이스

음성 및 제스처 인터페이스는 상호작용과 UI/UX 디자인을 혁신할 것입니다. 사용자들은 음성 명령 및 제스처를 통해 가상 환경을 조작하고 상호작용할 수 있으며, 이는 사용자 경험을 더욱 직관적으로 만듭니다.

3. AI와의 통합

인공 지능(AI) 기술은 사용자 개인화와 상호작용을 개선하는 데 활용될 것입니다. AI는 사용자의 행동 및 선호도를 학습하고, 더 나은 UI/UX를 제공하기 위해 사용될 것입니다.

4. 확장 가능한 UI/UX

UI/UX 디자인은 확장 가능해야 합니다. 메타버스가 계속해서 성장하고 진화할 것을 고려하여 UI/UX 디자인은 쉽게 수정 및 업그레이드할 수 있어야 합니다.

미디어 콘텐츠 제작

메타버스는 디지털 세계에서의 혁신적인 콘텐츠 제작과 소비의 중심으로 떠오르고 있습니다. 다음은 메타버스에서의 미디어 콘텐츠 제작의 중요성과 현재의 동향, 그리고 미래 전망에 대해 살펴보겠습니다.

미디어 콘텐츠 제작의 중요성

메타버스에서의 미디어 콘텐츠 제작은 중요한 역할을 합니다. 이는 다음과 같은 이유로 중요성을 더욱 부각시킵니다.

1. 새로운 경험 창출

메타버스는 새로운 디지털 경험을 제공하는 플랫폼으로, 미디어 콘텐츠 제작을 통해 다양한 새로운 경험을 창출할 수 있습니다. 가상 현실(VR), 증강 현실(AR), 3D 콘텐츠 등을 통해 사용자들에게 현실에서는 불가능한 경험을 제공할 수 있습니다.

2. 커뮤니케이션의 주춧돌

미디어 콘텐츠는 메타버스 내에서 사용자들 간의 커뮤니케이션을 촉진합니다. 가상 세계에서의 이벤트, 소셜 미디어 플랫폼, 라이브 스트리밍 등을 통해 사용자들은 콘텐츠를 통한 상호작용을 즐기며 소통할 수 있습니다.

3. 경제적 가치 창출

미디어 콘텐츠는 경제적 가치를 창출합니다. 광고, 스폰서십, 가상 아이템 판매 등을 통해 메타버스에서의 미디어 콘텐츠는 수익을 창출할 수 있습니다.

4. 디지털 아이덴티티 형성

미디어 콘텐츠는 디지털 아이덴티티를 형성하는 데에 중요한 역할을 합니다. 사용자들은 가상 콘텐츠를 통해 자신을 표현하고 가상 공간에서의 아이덴티티를 구축할 수 있습니다.

미디어 콘텐츠 제작 동향

메타버스에서의 미디어 콘텐츠 제작은 현재 다양한 동향을 보이고 있습니다. 이러한 동향은 다음과 같습니다.

1. 가상 리얼리티(VR)와 증강 리얼리티(AR)의 활용

VR 및 AR 기술은 미디어 콘텐츠 제작에 혁신적으로 적용되고 있습니다. 360도 동영상, AR 앱, 홀로그래픽 콘텐츠 등을 통해 사용자들에게 현실과 가상의 융합 경험을 제공합니다.

2. 3D 콘텐츠 및 가상 세계의 확장

3D 모델링 및 애니메이션을 활용한 3D 콘텐츠가 늘어나고 있습니다. 또한 가상 세계와 가상 공간이 확장되며 다양한 미디어 콘텐츠가 창출되고 있습니다.

3. 유저-제너레이티드 콘텐츠

사용자들이 직접 콘텐츠를 제작하는 유저-제너레이티드 콘텐츠가 증가하고 있습니다. 소셜 미디어, 가상 플랫폼, 유튜브 및 트위치 스트리밍 등에서 사용자들은 자신만의 콘텐츠를 제작하고 공유합니다.

미디어 콘텐츠 제작의 미래

미디어 콘텐츠 제작은 메타버스의 미래에 더욱 중요한 역할을 할 것으로 예상됩니다. 다음과 같은 미래 전망을 고려할 수 있습니다.

1. AI와의 협업

인공 지능(AI) 기술은 미디어 콘텐츠 제작에 협업할 것입니다. AI는 스토리 생성, 캐릭터 디자인, 시각 효과 개선 등에 사용될 것이며, 미디어 콘텐츠를 더욱 풍부하게 만들 것입니다.

2. 실시간 라이브 스트리밍의 증가

라이브 스트리밍은 미디어 콘텐츠 제작의 중요한 방법 중 하나입니다. 사용자들은 실시간으로 가상 세계의 이벤트 및 상황을 공유하며 소통할 수 있습니다.

3. 확장 가능한 미디어 플랫폼

미디어 플랫폼은 미디어 콘텐츠 제작을 지원하는 데 중요한 역할을 합니다. 미래에는 확장 가능한 플랫폼이 더 많이 등장할 것이며, 다양한 콘텐츠 제작자들에게 기회를 제공할 것입니다.

4. 디지털 지갑과 NFT의 활용

디지털 지갑과 Non Fungible Token(NFT)은 미디어 콘텐츠의 소유권 및 거래를 혁신할 것입니다. 아티스트와 제작자들은 자신의 작품을 NFT로 발행하고 판매할 수 있으며, 이로써 미디어 콘텐츠 제작에 대한 새로운 경제 모델이 형성될 것입니다.

■ 메타버스 활용 디자인의 미래 전망

메타버스 디자인은 미래의 디지털 세계를 형성하고 변화시킬 역할을 합니다. 다음은 메타버스 디자인의 미래에 대한 전망을 살펴보겠습니다.

현실과 가상의 융합

메타버스 디자인은 미래에 현실과 가상의 융합을 더욱 강화할 것으로 예상됩니다. 현실과 가상의 경계가 무색해지며, 사용자들은 더욱 현실적인 가상 환경에서 다양한 활동을 즐길 수 있을 것입니다. 여기서는 현실과 가상의 융합이 메타버스에서 어떻게 형성되고 발전되고 있는지, 그리고 이 현상이 미래를 어떻게 변화시킬지에 대해 다루겠습니다.

현실과 가상의 경계 해체

메타버스는 현실과 가상의 경계를 허물며, 사용자들에게 현실과 유사한 경험을 제공합니다. 가상현실(VR) 기술을 통해 사용자들은 완전히 가상의 세계로 빠져들며, 현실 세계에서는 불가능한 경험을 누릴 수 있습니다. 또한 증강현실(AR)은 현실 세계 위에 가상 객체를 배치하여 현실과 가상의 융합을 실현합니다. 이러한 기술들은 사용자들이 현실과 가상 사이를 자유롭게 이동하며 새로운 경험을 창출할 수 있게 합니다.

디지털 트윈과 현실 세계 모델링

메타버스에서 현실과 가상의 융합은 디지털 트윈을 통해 구현됩니다. 디지털 트윈은 현실 세계의 객체, 장소 및 현상을 가상으로 모델링한 것입니다. 이를 통해 가상 세계와 현실 세계 간에 데이터와 정보를 공유하고 상호 작용할 수 있습니다. 예를 들어, 스마트 도시에서 실제 교통 상황을 디지털 트윈을 통해 실시간으로 모니터링하거나, 가상 환경에서 현실 세계의 건물을 모델링하여 가상 시뮬레이션을 실행할 수 있습니다.

현실 세계와의 상호작용

메타버스에서 현실과 가상의 융합은 다양한 상호작용을 허용합니다. 사용자들은 현실 세계에서 가상 세계로 이동하거나, 가상 세계에서 현실 세계의 데이터를 검색하고 활용할 수 있습니다. 예를 들어, 스마트글래스나 홀로렌즈와 같은 AR 장치를 통해 현실 세계에서 가상 레이어를 확인하거나, 가상 콘서트에서 실제 공연을 시청할 수 있습니다. 또한 현실 세계의 IoT 디바이스와 메타버스가 상호 연결되어 더욱 풍부한 경험을 제공합니다.

현실의 문제 해결과 혁신

메타버스의 현실과 가상의 융합은 다양한 현실 세계 문제에 대한 혁신적인 해결책을 제공합니다. 스마트 시티에서는 교통 흐름을 최적화하고 환경 지속 가능성을 향상시키는 데에 메타버스를 활용합니다. 의료 분야에서는 가상 환경에서의 외과 수술 훈련 및 진단을 개선하고, 교육 분야에서는 현실과 가상을 융합한 학습 경험을 제공합니다. 또한 예술, 엔터테인먼트, 상업 분야에서도 현실과 가상의 융합을 통해 새로운 창조적인 가능성을 탐구하고 있습니다.

미래의 메타버스와 융합

미래의 메타버스는 현실과 가상의 융합을 더욱 강화할 것으로 예상됩니다. VR 및 AR 기술은 더욱 발전하여 더 현실적이고 강력한 경험을 제공할 것이며, 디지털 트윈은 더욱 정교하게 현실 세계를 반영할 것입니다. 현실 세계와 가상 세계 간의 상호작용은 더욱 자연스러워질 것이며, 이를 통해 더욱 혁신적인 솔루션과 경험이 가능할 것입니다.

AI와의 통합

메타버스는 인공 지능(AI)과의 통합을 통해 사용자 경험을 혁신하고, 가상 세계를 더욱 현실적이고 지능적으로 만들고 있습니다. AI는 사용자와 상호작용하고 개인화된 경험을 제공하는 데에 활용될 것이며, 더 나은 사용자 경험을 창출할 것입니다. 여기서는 AI 통합이 메타버스에서 어떻게 이루어지고 있는지, 그 영향 및 미래 가능성에 대해 다뤄보겠습니다.

AI 기술의 메타버스 통합

메타버스는 AI 기술과 밀접하게 연결되어 있습니다. AI는 메타버스 환경에서 다양한 역할을 수행하며, 사용자 경험을 향상시키고 가상 세계를 더욱 지능적으로 만듭니다. AI 기술은 음성 및 언어 인식, 이미지 분석, 자연어 처리, 예측 분석, 추천 시스템 등 다양한 영역에서 활용됩니다.

음성 및 제스처 인터페이스

AI는 메타버스에서 음성 및 제스처 인터페이스의 향상에 큰 기여를 합니다. 사용자들은 음성 명령을 통해 가상 환경을 제어하고 상호 작용할 수 있으며, 제스처를 사용하여 가상 세계에서 물체를 조작하거나 소통할 수 있습니다. 이러한 기술은 사용자들에게 더욱 직관적이고 편리한 방법으로 메타버스를 탐색하게 합니다.

AI를 통한 가상 캐릭터 및 봇

메타버스에서 AI를 활용한 가상 캐릭터와 봇은 현실과 가상의 융합을 강화합니다. AI가 가상 캐릭터를 더욱 현실적으로 만들고, 이들이 사용자와 자연스럽게 상호 작용할 수 있게 합니다. 봇은 가상 환경에서 사용자들에게 정보를 제공하거나 도움을 주는 역할을 하며, 가상 세계의 가이드나 동반자 역할을 합니다.

AI 기반 예측 분석 및 개인화

AI는 사용자의 행동 및 선호도를 예측하고 분석하여 메타버스 경험을 개인화하는 데에 활용됩니다. 예를 들어, AI는 사용자가 어떤 활동을 선호하거나 어떤 콘텐츠를 좋아하는지를 학습하고, 그에 맞춰 가상 세계에서 적절한 경험을 제공합니다. 이를 통해 사용자들은 더욱 풍부하고 맞춤화된 메타버스를 즐길 수 있습니다.

AI와 교육, 의료, 상업 분야의 통합

AI는 메타버스에서 교육, 의료, 상업 분야에 큰 영향을 미칩니다. 교육에서는 AI를 활용한 가상 강의와 학습 플랫폼이 개발되어 학습 경험을 개선하고, 의료 분야에서는 AI를 통한 진단 및 치료가 현실화되며, 상업 분야에서는 AI를 이용한 가상 상점 및 상품 추천 서비스가 제공됩니다.

AI와 메타버스의 미래

AI와 메타버스의 통합은 미래에 더욱 확대될 것으로 예상됩니다. AI 기술은 더욱 발전하여 메타버스를 현실과 구분하기 어렵게 만들 것이며, 사용자 경험을 향상시킬 것입니다. 또한 AI는 메타버스를 더욱 지능적으로 만들어 현실 세계와의 융합을 더욱 자연스럽게 할 것입니다.

혁신적인 상호작용 및 표현 수단

메타버스는 사용자들에게 현실에서는 불가능한 혁신적인 상호작용과 표현 수단을 제공합니다. 메타버스 디자이너들은 또한 새로운 상호작용 및 표현 수단을 개발할 것입니다. 홀로그램, 감각적 피드백, 뇌-컴퓨터 인터페이스 등의 기술은 사용자와 메타버스 간의 연결을 강화할 것으로 전망되고 있습니다. 다음은 메타버스에서 어떻게 창조적인 상호작용과 표현이 가능한지, 그 예시와 미래 가능성에 대한 내용입니다.

가상 공간에서의 창조적 상호작용

메타버스는 가상 공간에서 창조적인 상호작용을 가능하게 합니다. 사용자들은 가상 환경에서 협업하고, 창작물을 공유하며, 새로운 경험을 창출할 수 있습니다. 예를 들어, 가상 공연장에서 공연하는 아티스트와 관객들은 현실과는 다른 상호작용을 통해 더욱 풍부한 공연을 즐길 수 있습니다. 또한 가상 미술 갤러리에서 작품을 공유하고 관람하는 것도 가능합니다.

가상 현실(VR)과 예술

VR은 예술 분야에서 혁신적인 수단으로 활용됩니다. 아티스트들은 VR을 통해 현실에서는 불가능한 공간을 창조하고, 사용자들은 이러한 가상 공간에서 예술 작품과 상호 작용할 수 있습니다. 또한 VR을 활용한 예술 작품 제작 및 전시가 가능하며, 예술 경험을 혁신적으로 확장시킵니다.

가상 미디어 및 엔터테인먼트

메타버스는 가상 미디어 및 엔터테인먼트 분야에서 혁신적인 상호작용과 표현 수단을 제공합니다. 가상 현실 게임은 사용자들에게 새로운 현실을 탐험하고 상호작용하는 기회를 제공하며, 가상 콘서트와 이벤트는 아티스트와 관객 간의 혁신적 상호작용을 가능케 합니다. 또한 가상 세계에서의 미디어 콘텐츠 제작은 새로운 방식의 스토리텔링과 상호작용을 통해 사용자를 매료시킵니다.

메타버스에서의 가상 표현

메타버스는 사용자들에게 가상 표현의 다양한 수단을 제공합니다. 가상 세계에서의 디지털 아바타를 통해 사용자는 자신을 자유롭게 표현하고, 다른 사용자와 상호 작용할 수 있습니다. 또한 가상 환경에서는 가상 의상 및 액세서리를 착용하고 가상 공간에서의 외모 및 스타일을 개성적으로 표현할 수 있습니다. 이러한 가상 표현은 사용자들에게 창조성과 개성을 더욱 강조하며, 가상 공간에서 자신을 자유롭게 표현할 수 있는 기회를 제공합니다.

미래 예측 가능성

메타버스에서의 혁신적 상호작용과 표현 수단은 미래에 더욱 확대될 것으로 기대됩니다. 가상 현실 및 증강 현실 기술의 발전은 사용자들에게 현실과 가상의 경계를 더욱 흐리게 하며, 다양한 분야에서 창조적 상호작용과 표현을 더욱 풍부하게 만들 것입니다. 예술, 엔터테인먼트, 교육, 비즈니스 등 모든 산업 분야에서 메타버스는 창조적인 혁신을 이끌 것으로 전망됩니다.

미래 지향적 디자인의 중요성

메타버스는 디자인의 새로운 경험과 가능성을 제공하며, 디자이너들에게 미래를 형성하는 역할을 부여하고 있습니다. 미래 지향적 디자인은 메타버스의 성장과 더불어 미래의 디지털 세계를 준비하는 데에 필수적인 요소입니다. 디자이너들은 새로운 도전에 적극적으로 대응하고, 창의적인 아이디어를 통해 메타버스의 미래를 함께 만들어 나갈 것입니다.

메타버스의 디자인 혁신

메타버스는 가상 현실(VR), 증강 현실(AR), 3D 모델링, 인터페이스 디자인 등 다양한 디자인 영역에서 혁신을 이끌고 있습니다. 가상 환경에서의 공간 디자인은 사용자 경험을 결정하며, 가상 세계에서의 아바타 디자인은 사용자의 자아 표현을 형성합니다. 또한 메타버스의 인터페이스는 현실과 가상을 유기적으로 연결하여 새로운 경험을 제공합니다. 특히 가상 현실 (VR)과 확장현실 (AR) 기술의 혁신은 메타버스 디자인에 혁명적인 변화를 가져옵니다. 사용자들이 현실과 가상 세계를 더욱 현실적으로 경험할 수 있도록 하는 기술의 발전은 새로운 차원의 가상 세계를 만들어냅니다. 메타버스 디자인의 혁신은 지속적인 연구 및 개발을 통해 가능하며, 사용자들의 상호작용 및 콘텐츠 제공 방식을 혁신적으로 변화시킬 것으로 기대되고 있습니다.

미래 사용자 경험 혁신

메타버스는 사용자 경험(UX)을 혁신적으로 바꿔 놓고 있습니다. 사용자들은 현실에서는 불가능한 환경에서 상호 작용하고, 새로운 디지털 경험을 즐깁니다. 이러한 경험은 디자이너들에게 미래 지향적인 디자인을 개발하고 사용자들에게 새로운 가능성을 제공합니다. 미래 사용자 경험 혁신은 메타버스와 XR 기술이 발전하면서 사용자들에게 제공되는 경험을 혁신적으로 변화시키는 핵심 주제 중 하나입니다. 이 혁신은 다양한 측면에서 벌어질 것으로 예측되며, 사용자들에게 더욱 현실적이고 풍부한 가상 세계를 제공할 것입니다. 또한 사용자 간의 상호작용과 소통을 더욱 현실적으로 만들 것입니다. 가상 현실 환경에서 사용자들은 실제로 대면하는 것처럼 다른 사용자와 소통할 수 있을 것이며, 새로운 형태의 현실감 있는 대화 도구가 개발될 것입니다. 사용자들은 자신의 취향과 관심사에 맞춘 콘텐츠와 서비스를 더욱 맞춤형으로 받게 될 것이며, AI 시스템은 사용자를 더 잘 이해하고 맞춤형 서비스를 제공할 수 있습니다.

메타버스와 비즈니스 디자인

메타버스는 비즈니스 분야에서도 디자인의 역할을 강조하고 있습니다. 가상 상점, 가상 광고, 가상 이벤트 등 다양한 비즈니스 모델과 전략을 개발하는 데에 디자인은 필수적입니다. 디자이너들은 비즈니스 목표를 달성하기 위해 메타버스에서의 새로운 디자인 방식을 모색하고 있습니다. 메타버스와 비즈니스 디자인은 기업들이 메타버스와 XR 기술을 비즈니스 전략에 통합하는 방법에 대한 중요한 부분을 담당합니다. 이를 통해 기업들은 메타버스와 XR을 활용하여 더 큰 시장을 모색하고 이를 효과적으로 활용하여 혁신적인 비즈니스 모델을 개발하는 데 도움을 받을 수 있습니다.

협업과 창조성을 위한 디자인

메타버스는 협업과 창조성을 증진시키는 플랫폼으로도 주목받고 있습니다. 다양한 지리적 위치에 있는 개인들이 가상 세계에서 협업하고, 창작물을 공유하며, 새로운 문화와 예술을 형성합니다. 이러한 공간에서 디자이너들은 협업과 창조성을 향상시키는 디자인을 개발하고 새로운 아이디어를 발굴합니다. 협업과 창조성을 위한 디자인은 메타버스와 XR 환경에서 팀 협업과 창의성을 최대한 발휘할 수 있는 방법을 탐구하고, 디자인 원칙을 제시함으로써 미래의 가상 세계에서 협업과 창의성을 더욱 효과적으로 촉진할 수 있도록 도와줍니다.

미래 지향적 디자인

현재 우리는 디자인의 차원이 더욱 확장되고, 디지털 혁명의 파도를 따라가며 미래를 더욱 선도하는 역할을 맡고 있습니다. 특히 메타버스와 XR 기술의 등장으로 인해 디자인은 새로운 미래를 준비하고 세상을 변화시키는 중추적 역할이 되고 있습니다. 미래 지향적 디자인은 메타버스의 성장과 함께 더욱 중요해지고 있기 때문에, 디지털 세계와 현실의 경계가 흐려지면서 디자이너들은 새로운 도전과 기회를 마주하고 있습니다. 미래 지향적 디자인은 미래를 예측하고, 혁신을 주도하며, 사용자들에게 새로운 경험을 제공하는 디자인 방식을 의미합니다. 따라서 미래 지향적 디자인은 새로운 기술과 트렌드를 탐색하고, 사용자들에게 혁신적인 경험을 제공하기 위한 핵심 요소입니다.

미래를 준비하는 디자이너의 역할

메타버스와 XR 기술의 급격한 발전으로 인해 디자이너들은 미래를 준비하고 혁신적인 디자인을 주도하는 역할을 더욱 강조받고 있습니다. 메타버스와 XR 기술은 미래의 디지털 세계를 예측하기 어렵게 만들고 있습니다. 따라서 디자이너들은 미래를 대비하고 혁신적인 디자인을 개발하기 위해 적극적으로 노력해야 합니다. 디자이너들은 새로운 기술과 트렌드를 탐색하고, 사용자들의 니즈를 충족시키는 디자인을 개발하는 역할을 담당합니다. 또한 사용자들에게 혁신적인 디지털 경험을 제공하고, 메타버스의 성장과 발전을 주도하는 주요 주체 중 하나입니다. 메타버스의 미래를 준비하는 디자이너들은 적응력과 창의력이 필요합니다. 새로운 디자인 도구와 기술을 익히고, 다양한 분야와 산업에 대한 지식을 확장해야 합니다. 미래를 예측하고 사용자들의 니즈를 충족시키는 디자인은 메타버스의 성공을 위한 핵심입니다.